KB178158

e스포츠문화

이상호 저

이 저서는 2022년 대한민국 교육부와 한국연구재단의 지원을 받아 수행된
연구임 (NRF-2022S1A5C2A02093162)

e스포츠문화

발　행 | 2024년 6월 19일
저　자 | 이상호
펴낸이 | 한건희
펴낸곳 | 주식회사 부크크
출판사등록 | 2014.07.15.(제2014-16호)
주　소 | 서울특별시 금천구 가산디지털1로 119 SK트윈타워 A동 305호
전　화 | 1670-8316
이메일 | info@bookk.co.kr

ISBN | 979-11-410-9030-2

www.bookk.co.kr
ⓒ e스포츠문화 2024
본 책은 저작자의 지적 재산으로서 무단 전재와 복제를 금합니다.

e스포츠문화

이상호 저

CONTENT

머리말

현재 e스포츠는 젊은 세대의 놀이를 넘어 모두가 즐기는 문화가 되었다. 전 지구적인 e스포츠의 관심은 e스포츠를 하나의 문화현상으로 인정받고 있다. 그러나 e스포츠문화와 관련된 논의는 부족하다. 외형적으로 25년 e스포츠의 역사를 고려한다면 e스포츠문화와 관련된 논의가 부족한 것은 당연하게 보인다. 더욱이 e스포츠문화가 디지털 문화와 스포츠 문화가 서로 밀접한 관계를 가지고 있기 때문에 이 모든 것을 체계적으로 설명하기란 쉽지 않다. 다만, e스포츠를 연구하는 학자로서 e스포츠문화를 어떻게 이해해야 하는지, 한국에서 e스포츠문화가 어떻게 전개되었는지, 디지털 미디어와 e스포츠문화가 어떠한 관계를 갖는지, 현대사회에서 e스포츠가 어떠한 문화적 특성을 갖는지 알고는 싶었다. 이 책은 이러한 저자의 궁금증에 대한 결과물이다.

e스포츠는 인간이 생활하는 현실의 공간을 넘어, 디지털 기술에 의해 만들어진 가상의 공간에서 경쟁이 이루어진다. 문제는 가상공간이 의미 없는 것이 아니라, 현실 공간의 연장으로서 우리가 살아가는 일부분이라는 것이다. 이제 가상세계에서 e스포츠 경험은 우리의 일

상적인 삶에 영향을 미치고 있다. 하지만 e스포츠와 관련된 산업, 비즈니스, 엔터테인먼트의 관심에 비해 e스포츠문화와 관련된 논의는 상대적으로 부족하다.

문화가 인간의 움직임에 따른 하나의 생활에서 얻게 된 과정과 결과물이라면, 디지털 기술의 발달에 근거한 e스포츠의 등장과 관련된 문화적 현상에 대한 이해도 필요하다. e스포츠문화는 디지털 기술과 인간의 생존본질 간의 과정이며, 결과물이기 때문이다. e스포츠문화의 이해는 e스포츠의 사회 경제적 현상과 분석 그리고 디지털 현상에 따른 다양한 문제 해결책을 찾는데 도움이 된다. 또한 e스포츠문화의 연구는 미래에 인간이 디지털 기술을 어떻게 이용하고 활용해야 하는지를 파악하는데 도움이 된다.

물론 저자는 이 모든 것을 논리적으로 설명할 능력은 부족하다. 따라서 저자는 이 책에서 e스포츠문화를 이해하는 개론적 수준에서 논의하고자 한다. 먼저 1장에서는 e스포츠문화의 구성요소가 무엇이고, 어떻게 접근해야 하는지 해명하고자 한다. 여기에서는 e스포츠문화의 이론적 접근방법과 e스포츠문화에 대한 인식 구조를 설명하였다. 2장에서는 한국 e스포츠의 역사적 탄생 과정과 그 속에서 일어나는 문화현상을 '광안리 대첩'으로 설명하였다. 여기에서는 한국이 e스포츠종주국이 될 수 있었던 이유와 광안리 현상에서 연구해야 할 학문적 과제를 도출하였다. 3장에서는 e스포츠문화가 디지털 미디어와 플레이어와 밀접한 관계에서 나왔다는 측면을 논의하였다. 그리고 현대사회에서 e스포츠의 문화적 특징을 설명하였다. 이러한 목적을 달성하기 위해 본 저서는 아래에 보인 것과 같이 저자가 발표한 논문과 책의 형식에 맞게 새롭게 수정 보안하였다. 3장은 새롭게 추가하였다.

e스포츠문화의 이론적 특징과 이해 도식에 관한 연구. 스포츠인류학연구, 18(4), 233-256.
e스포츠의 학문적 연구: 2004년 '광안리 대첩'을 중심으로. e스포츠 연구: 한국e스포츠학회지, 5(2), 15-26.

e스포츠문화 연구는 e스포츠에 대한 긍정과 부정의 인식을 넘어서는 e스포츠의 문화적 전략까지 포함해야 하기 때문에 쉽지 않는 작업이다. 더욱이 AI와 생성 AI의 등장으로 인해 e스포츠의 경기 양상, 게임 개발, 투자 방향이 달라질 수 있기 때문에 미래에 전개될 e스포츠의 문화적 내용도 검토해야 할 숙제가 우리 앞에 놓여 있다.

이 책은 e스포츠문화와 관련된 완전한 내용이 아니다. 단지 e스포츠문화와 관련된 저자의 논의가 다른 e스포츠연구자에게 촉매역할을 할 수 있다면, 저자는 그것으로 만족한다. 혼자 달리는 것 보다 다함께 달리는 것이 좋은 결과물을 만들어 내기 때문에 많은 e스포츠 연구자들의 참여와 질정을 기대한다.

2024년 6월 18일
연구실에서 이 상호

1장 e스포츠문화와 이해 도식

1. e스포츠문화란?

e스포츠문화란 무엇인가? e스포츠문화를 어떻게 이해하고 접근해야 하는가? e스포츠 개념이 명확하게 규정되지 않는 상황과 e스포츠와 문화를 연결하는 매개체가 무엇인지 명확하게 드러나지 않는 상황에서 이러한 질문에 답하기란 쉽지 않다. 글자 그대로의 해석에 근거하여 설명하여도 마찬가지다. 예컨대 e스포츠문화는 디지털 게임으로 대표되는 디지털문화1)와 스포츠문화2)

---

1) 이재현(2013)은 디지털 문화를 테크노문화, 사이버문화, 디지털 미디어문화로 설명한다. 디지털 미디어문화를 인터페이스, 스크린, 알고리즘, 데이터베이스, 하드디스크, 지식, 소셜, 모바일, 참여, 글로벌 문화로 설명한다. 윤태진(2005: vii)에 따르면, 그는 게임문화연구의 토대를 게임이라는 텍스트와 게임 플레이와의 즐거움으로 파악하였다. 그는 게임을 일상적 여가의 변용으로 나타난 문화로 인식하였으며, 게임이라는 텍스트와 그것을 받아들이는 수용자 그리고 그들 간에서 일어나는 다양한 맥락의 의미를 찾아 설명하는 것이 게임문화연구라고 하였다.

2) 스포츠문화는 스포츠를 대하는 각각의 관점, 즉 가치 없는 행위양식이라는 입장과 놀이의 한 부분이며 창조적 행위의 근간으로 인식하느냐에 따라 스포츠문화에 대해 긍정과 부정으로 나뉜다. 하지만 오늘날 스포츠의 행위 그 자

가 결합된 것이라고 하더라도, 각각의 문화를 규정하는
것도 쉽지 않다. 또한 그들 간의 관계 설정을 어떻게
해석하느냐에 따라 e스포츠문화의 설명은 다르게 전개
될 가능성이 높다. 여기에 e스포츠가 긍정적인 문화라
는 인식보다는 산업적, 비즈니스의 측면과 중독, 시간
낭비, 폭력성, 과몰입 등 부정적인 측면이 강조되는 상
황에서 모두에게 통용되어 받아들이는 하나의 문화라고
불릴 수 있는지에 대한 근본적인 질문도 가능하다. 더
욱이 e스포츠문화가 부정적인 내용을 개선시킬 전략까
지 포함해야 한다면, 그 개념의 규정은 대단히 포괄적
이게 된다.

일반적인 문화개념이 인간의 움직임과 그 움직임에
따른 과정과 결과물에 대한 논의로 규정되는 것이라면,

체가 의미를 갖는다는 사실을 부인할 수 없다. 그럼에도
스포츠를 통해 만들어가야 하는 문화적 방향과 독자적인
스포츠문화를 설명하기란 쉽지 않다(박남환, 송형석 역주,
2004). 이는 스포츠문화가 하나의 정형화된 이론이나 완
성된 형태가 아님을 보여준다(김정효, 2011). 더욱이 현실
세계에서 신체성의 움직임에 근거한 스포츠문화와 다르게
가상세계에서 소근육의 움직임을 강조하는 e스포츠문화와
는 다를 수밖에 없다. 여기에 스포츠와 다른 가상세계에
서 디지털 활동에 따른 경쟁이라고 하더라도 그 속에는
인간 본래의 재미와 놀이의 속성을 배제할 수 없다(이상
호, 2024)는 점에서 본다면, 스포츠문화와 e스포츠문화
간의 엄밀한 구분은 힘들다. 그러나 학문적 관점에서 e스
포츠문화와 스포츠문화는 엄밀하게 구분되어야 한다.

e스포츠문화는 e스포츠로 알려진 경쟁적인 비디오 게임의 경쟁에 참여하는 플레이어의 활동, 관습, 가치관이며, 개인의 플레이어 영역을 넘어서 대규모 비즈니스 산업과 문화현상을 말한다. 하지만 디지털 플랫폼과 기술에 근거한 스포츠 경쟁의 본질이 첨가된 e스포츠문화는 그 정의가 훨씬 복잡해진다.

그럼에도 불구하고 e스포츠는 젊은 세대에 한정되어 즐기는 문화에서 대다수가 즐기는 문화로 향유의 폭이 달라졌고, 이에 따라 우리 일상의 삶에 영향을 준다는 사실은 부인할 수 없다. 여기에 아시안게임에서 정식종목으로 채택되어 경쟁문화의 한 단면을 보여준다. 또한 e스포츠는 단순히 즐기는 오락의 수준을 넘어 디지털 기술 활용에 경쟁이 개입되고 새로운 엔터테인먼트의 산업으로 인식되기 시작하였다. 반면에 e스포츠가 시간 낭비, 과몰입, 폭력, 중독 등의 부정적인 측면이 존재하는 상황에서 e스포츠문화의 관점에서 이문제에 대한 해결책도 제시해야 한다. 그리고 미래 e스포츠문화를 어떻게 만들어가야 하는지와 관련된 유용한 전략도 제시해야 한다. 이와 같이 e스포츠문화는 현재 디지털 사고나 사회현상의 이해와 해결책을 파악하기 위한 중요한 문제이다.

하지만 그 내용이 대단히 포괄적이고, 디지털 시대에

계속 진화하고 있기 때문에 e스포츠문화를 정확하게 무엇인지 설명하지 못하고 있는 것이 당연한 일인지 모른다. 하지만 e스포츠가 우리의 삶과 이격되지 않는 문화적 현상으로 인식되는 상황에서 e스포츠문화에 대한 심도 깊은 학문적 접근과 이해가 필수적이다. 이와 관련된 체계적인 연구는 상대적으로 부족하지만, 부분적으로 e스포츠교육(이학준, 황옥철, 김영선(2020), e스포츠문화의 담론적 연구(이상호, 황옥철, 2019), 팬덤문화(강신규, 채희상, 2011; 정헌목, 2009)와 관련된 연구는 있다. 다만, e스포츠문화를 전체적으로 어떻게 조명하고 이해해야 하는지와 관련된 이론적 논의는 부족하다.

따라서 저자는 본 장에서 전반적인 e스포츠문화를 이해하기 위한 이론적 시도를 하고자 한다. 이를 위해 저자는 먼저 2절에서는 e스포츠문화 이해의 필요성과 e스포츠문화의 이론적 특징을 설명하고자 한다. 이를 통해 우리는 e스포츠문화를 전체적으로 조망할 수 있는 이론적 기회를 가질 수 있을 것이다. 다음으로 3절에서는 우리가 e스포츠문화를 바라보는 인식 구조의 틀을 제시하고자 한다. 그 속에서 저자가 생각하는 e스포츠문화의 학문적 근거와 전략적 방법을 제시하고자 한다. 비록 본 연구가 e스포츠문화와 관련된 시론적 의미의 연구이지만, 앞으로 e스포츠문화를 심도 깊게 이해할 수 있는 작은 이론적 길을 내고자 한다.

2. e스포츠문화의 이해와 특징

1) 스포츠문화 이해의 필요성

사전적 언어의 기원에서 본다면, 문화(culture)는 경작이나 재배 등을 뜻하는 라틴어인 colore에서 유래한다. 즉 "문화란 자연 상태의 사물에 인간이 작용을 가하여 그것을 변화시키거나 새롭게 창조해 낸 것을 의미한다."[3] 여기에 culture 영어 어원은 농작물 재배나 숭배(cult) 이외에도 학습을 통한 교육적인 측면까지 포함하기 때문에 문화를 단일한 의미로 설명하기란 쉬운 일이 아니다(한국문화사회학회 역, 2008: 15). 따라서 문화는 시대적 상황과 담론적 내용에 따라 다양하게 해석될 여지가 있다.

---

3)한국민족문화대백과사전(https://encykorea.aks.ac.kr/Article/E0019771).

이러한 문화개념에 대한 정의의 어려움을 인정하여, 문화연구의 창시자의 한사람인 레이먼드 윌리엄스 (Raymond Williams, 1921-1988)는 문화를 다음과 같이 정의하였다. 그는 문화라는 영어 단어가 가장 복잡한 단어들 중의 하나라고 설명한다(Williams, 1976: 76). 그는 역사적 변화 속에서 문화라고 통용되는 것으로 세 가지를 지적한다. 첫째 한 개인, 집단 혹은 사회의 지적, 정신적, 그리고 미학적 발전을 가리키는 것으로 둘째, 일정한 범위의 지적인 예술적인 활동과 그 산물들을 포괄하는 것으로 셋째, 민족이나 집단 혹은 사회의 신앙, 관습, 등 전체적인 삶의 양식을 나타나기 위해 문화를 설명한다. 또한 그는 문화의 의미를 교양 있는 사람들이 참여한 세련된 활동과 관련이 있는 것으로 설명한다(조애리 외 8, 2023: 28).

  이와 같이 문화는 특정 개인이나 인간 집단이 자연의 대상을 변화시켜 나타난 물질적이며, 정신적 변화의 과정 그 자체와 결과물이다. 여기에 바람직한 인간 삶의 양식을 만들어 간다는 점에서 문화란 고정된 명사(名詞)가 아니라, 움직임의 상태를 보여주는 동명사(動名詞)나 움직이는 동사(動詞)로 보아야 한다. 여기에 문화는 우리 자신의 책임에 따른 결과물이기 때문에 우리 스스로 문화발전을 위한 전략까지도 포함되어야 한다

(강영안 역, 1994).

이를 e스포츠문화의 설명에 적용해보자. 인간이 자연의 대상을 변화시켰다는 점은 인간 자신이 생존과 발전을 위해 디지털 기술에 근거한 디지털 게임이 등장하였다. 여기에 스포츠 경쟁의 본질이 개입되어 경쟁적인 비디오 게임이라는 e스포츠의 장르가 등장하였다. 특히 한국에서 프로리그를 중계하는 방송국의 등장, 경제적 관점의 개입, 그리도 팬덤의 등장은 e스포츠를 전 세계로 확산시켰다. 이러한 과정을 통해 e스포츠의 재미와 열광의 문화가 형성되었다. 여기에 우리가 만들어낸 e스포츠문화 그 자체가 역으로 우리 삶의 전 과정에 영향을 미치고 있다는 점이다. 따라서 우리는 미래에 e스포츠문화를 어떻게 만들어가야 하는지의 전략적 방향성까지도 제시해야 하다. 이 모든 것이 e스포츠문화의 설명과 연결된다.

오늘날 e스포츠문화의 이해가 필요한 이유는 아래와 같다.

첫째, e스포츠를 즐기는 세대의 문화적 이해이다. e스포츠는 인터넷 매체를 통해 중계되어 시간과 공간의 제약 없이 어디에서나 성별과 인종의 차이 없이 직접적인 참여가 가능하다. 이들 경기와 관련된 현상은 경제적 사회적 하나의 문화현상으로 나타나게 되었다.

초기 e스포츠에 참여한 사람들의 연령대가 증가함으로써 이제는 청소년과 성인을 포함한 다양한 연령대에 걸쳐 문화적인 영향력을 미치고 있다. 이와 같이 e스포츠문화는 다양한 세대의 문화형성의 과정과 세대 간의 관계를 이해하는데 도움이 된다.

둘째, e스포츠의 사회적 영향력에 대한 이해이다. 디지털 플랫폼의 등장으로 e스포츠가 주는 사회적 영향력은 경제적으로 긍정적인 측면 이외에도 과몰입, 폭력, 중독 등 사회 문제와 관련된다. 이와 관련된 e스포츠문화의 이해는 부정적인 문제 해결에 기여할 것이다. 사회적 영향력의 이해는 차후 윤리적 문제 해결과 연결된다.

셋째, e스포츠의 경제적 영향력에 대한 이해이다. e스포츠문화는 새로운 e스포츠시장의 전망을 분석하고 활용하는 기회를 제공한다. 하지만 e스포츠의 산업, 비즈니스, 엔터테인먼트의 관심에 비해 e스포츠문화와 관련된 논의는 상대적으로 부족하다. 통계업체 스태티스타(Statista)에 따르면 전 세계 e스포츠 시장규모는 2022년 14억 달러의 규모이며 매년 13.7%로 급성장하고 있으며, 이와 관련된 산업은 새로운 비즈니스의 기회를 창출하고 있다.

넷째, 엔터테인먼트의 진화에 대한 이해이다. e스포

츠는 디지털 미디어의 개입으로 기존 전통적인 스포츠와 경쟁함으로 큰 역할을 담당한다. 아시안게임의 정식 종목뿐만 아니라, 로그 오브 레전드 월드 챔피언쉽(롤드컵), 오버워치 월드컵 이외에도 LCK, LPL의 e스포츠대회가 열리고 있다. 여기에 유튜브, 트위치, 인공지능의 개입 등으로 새로운 영상 미디어의 등장에 따른 미래의 엔터테인먼트 방향성을 파악할 수 있다.

마지막으로 e스포츠의 교육적 가치에 대한 이해이다. e스포츠는 전략과 전술이 필요하고, 선수들 간의 팀워크가 필요하다. 그 속에서 리더십과 주어진 문제를 풀 수 있는 능력을 배울 수 있다. 또한 e스포츠의 참여가 학생들로 하여금 참여 동기를 부여하고, 문제 해결능력을 강화하는 데 도움이 된다. 하지만 앞에서 언급한 e스포츠문화에 대한 이해는 서술적 설명이지 e스포츠문화를 전체적으로 조명하기 위한 이론은 아니라는 사실이다. 따라서 저자는 e스포츠문화의 이론적 특징이 무엇인지 제시함으로써 e스포츠만이 가지고 있는 본질적인 내용을 드러내고자 한다.

2) e스포츠문화의 이론적 특징

2000년대 등장한 e스포츠는 외형적으로 짧은 역사를 갖고 있다. 하지만 e스포츠의 등장은 어떤 상황이 처음에는 미미하게 진행되다가 어느 순간 갑자기 모든 것이 급격하게 변하여 나타난 극적인 순간 즉, 하나의 디핑 포인트(Tipping Point)의 결과물(이상호, 2024)이기 때문에 오랜 역사를 갖는다. 인간 움직임의 시원을 놀이라고 본다면, 이는 e스포츠가 놀이에 근원을 둔 긍정적인 문화로 인정하게 된다. 호이징가(Huizinga)는 '놀이는 문화를 만든다'고 하였다. e스포츠의 시작도 자발적인 놀이에서 시작되었고, 그것을 기반으로 하나의 문화를 형성하였다. 이는 한국 e스포츠 태동의 과정에서 보인다. 2000년 초 스타크래프트에 참여한 플레이어는 디지털 세계에서 그들 나름대로 자발적으로 클랜(Clan)이나 길드(Guild)를 조직해서 그들과의 관계를 형성하였다. 자발적인 가상에서 모임이 현실의 PC방이라는 e스포츠경기를 진행하였다. 이러한 e스포츠경기는 많은 사람들로부터 관심을 얻게 되었다. 여기에 방송과 엔터테인먼트의 요소가 개입되어 오늘날 e스포츠장르와 문화가 탄생하였다. 이와 같이 한국 e스포츠의 탄생은 자발적인 놀이에서 출발하였다는 사실을 잘 보여준다.

반면에 호이징가는 『호모 루덴스』에서 경쟁이 개입되는 게임을 하나의 문화로 인정하지 않는다(이종인 역, 2010). 놀이의 가치를 우선시하는 호이징가의 입장에서 본다면, 경쟁에 대한 그의 부정적인 생각은 당연하다. 게임의 속성에 경쟁과 비즈니스의 측면이 개입됨으로써 e스포츠를 놀이문화의 영역으로 규정지을 수 없는 측면도 존재한다. 물론 이러한 그의 관점을 오늘날 경쟁을 전제로 하는 e스포츠문화에 그대로 적용해서 설명할 수 없다. 따라서 e스포츠에 대해서도 하나의 문화로 인정할 것인가, 아닌가의 논란은 있을 수 있다.

이러한 논란에도 불구하고 우리가 e스포츠문화를 언급하는 이유는 e스포츠의 탄생에서 한국적 상황과 문화적 배경을 무시할 수 없기 때문이다. 한국 e스포츠의 등장은 IMF라는 시대적 상황과 경제적 극복의 방안으로 월드와이드 웹의 강조와 전국적인 인터넷 망의 구축과 갖은 한국정부의 정책적 상황을 이해해야 한다. 또한 청소년들의 과도한 학습 환경, 밀집된 사회구조적 환경에서 PC방 문화가 탄생하였다. 여기에 디지털 기술을 바탕으로 자신의 기량을 발휘할 수 있는 스타크래프트의 등장은 e스포츠를 확산시켰다. 특히 방송국의 중계는 게임 전문방송 채널인 온게임넷(OGN)이 설립

되었다. 이곳에서 뛰어난 실력을 보인 선수들은 사회적 명성과 경제적 부를 얻게 되었다. 프로 게이머에 대한 팬클럽 문화는 기업의 스폰서 마케팅과 결합하게 되었고, 기업은 프로 e스포츠 구단의 후원으로 연결되었다. 이것이 한국이 e스포츠의 종주국으로 인정받는 이유이다. 현재는 한국을 넘어 전 지구적인 젊은 세대가 즐기는 문화로 발전하였다.

이와 같이 한국적 상황에서 e스포츠문화를 논의한 것은 좁은 의미의 e스포츠문화에 대한 해석이다. 반면에 넓은 의미로 e스포츠문화는 비디오 게임의 역사와 그것을 뒷받침할 수 있는 디지털 기술의 발달과 그 속에서 놀이와 스포츠 경쟁의 본질을 설명해야 한다. 또한 그 속에 참여한 플레이어의 재미와 열광에 대한 문화적 해석이 필요하다.

여기에 직접적인 디지털 기술의 발달은 전 세계 모든 플레이어로 하여금 쉽게 e스포츠에 참여할 수 있는 기회와 그 경험의 확대로 인해 e스포츠에 대한 충성심을 보여주었다. 이는 e스포츠현상에 대해 인간 개체군이 가진 비슷한 생각들이 분출한 것을 보아야 한다(김윤성, 구형찬 역, 2022). 즉 디지털 기술이 보여주는 살아 있는 것에 대한 디지털 게임에 대한 인간의 재미와 열광의 산물이라 할 수 있다.

인터넷의 전 지구적인 확장은 세계 어디에서나 플레이어로 하여금 e스포츠 참여의 접근성을 쉽게 하였다. 디지털 기술의 발달은 인터넷을 기반으로 하는 롤과 오버워치, 배틀그라운드 이외에도 아케이드 게임인 대전 격투 게임의 장르도 존재한다. 그 속에서 플레이어들 간의 커뮤니티 확대 그리고 방송, 미디어, 엔터테인먼트의 상업성 개입으로 e스포츠 리그가 탄생하였다. 스포츠의 관점에서 본다면, 아시안게임의 정식종목의 선정과 IOC도 e스포츠에 관심을 가지게 되었으며, VR e스포츠에 대한 긍정적인 견해를 표시하게 되었다. 이 모든 것은 e스포츠의 역동적인 역사의 과정이며, 결과물이다. 문제는 앞에서 언급한 e스포츠문화와 관련된 내용이 나열식의 설명에 한정되어 있다는 점이다. 저자는 이러한 산별적인 e스포츠문화의 내용과 관련된 e스포츠문화를 체계적인 이론적 근거로 제시할 필요가 있다. 왜냐하면 e스포츠문화의 이론적 특성을 논리적으로 제시해야만 이러한 논의를 바탕으로 e스포츠문화를 학문적으로 조망할 수 있기 때문이다.

저자는 e스포츠문화의 이론적 특징을 역사성, 상호주관성, 윤리성, 역동성으로 구분하여 설명하고자 한다.[4]

---

4) 이는 문화의 특징을 역사성, 상호주관성, 윤리성, 역동성을 설명한 박인철(2015, 39-40)에서 차용하였다.

박인철(2015)에 따르면, 문화는 문명의 발달에 따른 하나의 결과물이며, 우리가 만들어가는 과정이지만 그 속에는 시간의 흐름이라는 역사성을 전제로 한다고 지적하였다. 상호주관성은 인간 각자가 추구하는 방향이 서로 다를지라도 그들 간에는 공통적으로 추구하고자 하는 공통의 지향적 관점과 내용을 형성하고자 하는 의식의 존재로 설명한다.5) 이러한 역사성과 상호주관성의 형성과정에서 윤리적 문제는 사회 안정과 유지를 위해서는 윤리성과 연결된다. 이는 e스포츠문화를 만들어가는데 중요하다. 집단과 사회를 지속하기 위해서 자신의 행동이 다른 사람에게 인정받을 수 있는 공공의 틀이 작동해야 한다. 그리고 시대의 상황적 변화는 문화를 고정적인 것을 넘어, 항상 새롭게 변하고 발전하는 역동적인 산물을 만들어낸다. 더 나아가 이렇게 형성된 문화 그 자체가 새로운 문화를 만들어 내는 출발점이 되기도 한다. 따라서 우리는 문화가 스스로의 힘에 의해 움직이고, 더 나아가 인간을 지배할 수도 있다는 사실을 인식해야 한다.

---

5) 이는 문화의 형성을 모든 인간이 공통적으로 갖는 의식작용에 근거하여 설명한 스페르베(Sperber)의 설명한 유사하다. 그는 자연주의적 관점에서 공통적으로 지향하는 인간의 의식이 문화를 만들어내는 중요한 요소라고 주장한다(김윤성, 구형찬 역, 2022).

이러한 4가지 문화의 특징은 e스포츠문화의 이론적 특성으로도 설명이 가능하다.

첫째, e스포츠의 역사성이다. e스포츠의 역사는 관점에 따라 다르게 설명한다. 외형적으로 보면 e스포츠는 2000년에 등장한 짧은 역사를 갖지만, 공시적 관점에서 본다면, 고대 로마시대까지 거슬러 올라간다. 예컨대 고대 콜로세움에 참가한 사람들은 그 경기를 즐기는 관전자의 역할뿐만 아니라, 그 경기 결과에 따른 전사의 생사여탈을 주도적으로 결정하는 참여자의 역할을 동시에 하였다.6) 이는 현대 e스포츠에도 마찬가지다. 즉 e스포츠는 직접적인 참여자와 동시에 관전자의 역할을 한다. 즉 플레이어는 자신이 능동적으로 아바타를 선택하여 상대와 경기에 참여하는 관전자이면서 동시에 참여자이다.

e스포츠의 역사성과 관련하여 비디오 게임의 역사에서 보더라도 인간의 자율적인 능력의 개입은 중요하다. 예컨대 자율적인 기술의 능력발휘에 따라 승부가 결정되는 디지털 기기 게임의 시초인 핀볼 게임기은 해리 윌리엄스(Harry Williams)가 1933년 최초로 전기를

---

6) 고대 로마 콜로세움에서 격투사의 생사여부의 결정권은 왕이 아니라, 그 경기에 참여하는 모든 사람의 선택에 의해 결정되었다.

사용한 핀볼 게임기인 콘택트(Contact)에서 보인다. 1948년에 출시된 수평타 펌프(Flopper bumper)에서는 굴러 떨어지는 볼을 자신의 스프링 힘 조절에 따른 점수의 능력에 따라 승부가 결정되기 때문이다(이무연 역, 2002).

최초의 컴퓨터 게임은 스포츠의 테니스 경기를 화면에서 구현한 테니스 포 투(Tennis for two)이며, 인간과 컴퓨터 게임은 스페이스 워(Spacewar)이다.[7] 이러한 비디오 게임에서도 적을 피하고 공격할 수 있는 자신의 능력이 승부에 영향력을 미친다. 아케이드 비디오 게임에서 디지털 기술의 발달로 인터넷을 기반으로 하는 장르인 MMORPG, RTS, FPS 등이 등장하였다. 오늘날 디지털 플랫폼이나 디지털 기기를 기반으로 하는 e스포츠의 장르는 다를지라도 e스포츠가 도구를 가지고 이용했다는 사실은 부인할 수 없다. 과거의 도구가 장난감이라면, 오늘날에는 컴퓨터의 차이밖에 없다. 도구의 이용이라는 역사적 사실을 고려한다면, e스포츠는 약 5000년 전 고대 이집트 전통 보드 게임인 세네트(Senet)까지 거슬러 올라간다(이상호, 2024).

---

7) 스페이스 워(Space War)는 그 당시 우주에 대한 관심과 태양의 중력장을 그 게임에 적용하려고 하였다(이무연 역, 2002: 29).

둘째, e스포츠의 상호주관성이다. e스포츠의 상호주
관성은 디지털 기술과 인간 사이에서의 활용이라는 측
면과 e스포츠가 진행되는 화면과 플레이어간의 공동의
지향점으로 나누어진다. 전자는 디지털 기술이 물질적
현상을 넘어 인간의 환경을 바꿀 수 있는 생명 진화의
일부분으로서 주어진 환경과 사회에 살아가는 삶의 방
식으로 작동한다. 이 모든 것은 디지털 사회에서 자신
만의 역사를 만들어가기 위해 행동하는 인간 행동의 결
과물로 이해해야 한다. 디지털 기술의 발달은 인간 간
의 새로운 소통의 문화를 등장하게 하였다. 예컨대
SNS, 트위치8), 유튜브 등 온라인 커뮤니티가 형성되
고, 그 속에서 참여자들은 온라인으로 경기정보나 플레
이에 대한 정보를 공유한다.

후자는 e스포츠를 하는 주체의 문제와 연결된다. e스
포츠에 참여한 플레이어는 화면 속에서 보여주는 아바
타나 캐릭터를 직간접으로 조정하여 경기에 참여한다.
실제로 자신이 움직이고 경험하는 것이 아니라, 자신의
움직임을 실행하는 화면 속의 움직임을 보면서 경험한

---

8) 트위치(Twitch)는 온라인만으로 콘텐츠를 제공한다. 이는
디지털 세계의 경험을 제공한다는 측면에서 본다면, 새로
운 문화를 만들어낸다고 할 수 있다(강지문 역, 2023:
58).

다. 이는 디지털 플랫폼에 의해 정해진 경기의 규칙에 얼마나 적용을 하느냐에 따라 승부가 결정된다. 이는 플레이와 화면에서 보여준 경기과정에서 일어난 인터페이스의 문제로 연결된다. 인터페이스의 숙달과 경기진행 패턴의 기술 완성은 승부를 결정지을 수뿐만 아니라, 그것이 주는 경험의 강도와 내용은 프로 e스포츠문화를 만들어낸다. 디지털 기술을 바탕으로 만들어진 화면과 플레이어 움직임 간의 구체적인 내용은 3장에서 설명하였다.

또 다른 e스포츠의 상호주관성 문제는 e스포츠경기에서도 일어난다. 플레이어들은 개인이나 팀으로 경쟁하고 승부를 겨루는 과정에서 재미와 즐거움을 느낀다. 종목사가 주도적으로 개최하는 리그와 토너먼트 등을 통해 플레이어들은 자신의 기량을 펼친다. 여기에 관객들은 선수들의 플레이에 열광을 보낸다. 관객들은 다른 스포츠 종목보다 직접 참여자이면서 동시에 관객이기 때문에 e스포츠에 열광적으로 참여한다. 이러한 인터넷과 미디어의 발달에 근거한 e스포츠는 주로 온라인 스트리밍 플랫폼을 통해 생중계되고 시청된다. 이를 통해 대중들은 어디에 있더라도 실시간으로 경기를 관람하고, 여기에 관객은 스트리머와의 상호작용을 통해 더욱더 경기에 적극적으로 참여한다. e스포츠경기에서 보여준 뛰어난 프로 e스포츠선수들의 기량은 기존 스포츠 팀의 지역연고제보다 개인적인 스타 중심으로 발전하고 있다. 프로 e스포츠선수들은 팀보다는 개인적 능력에 따라 쉽게 팀을 이적하고 팬들은 그들을 따라 선호하는 팀을 바꾼다. 뛰어난 선수의 기량에 따른 많은 연봉은 젊은 세대에게 프로 e스포츠선수를 꿈꾸게 하는 중요 요소로 작동한다. 이 모든 것은 e스포츠문화의 상호주관성 특성을 보여준다.

셋째, e스포츠의 윤리성이다. 디지털 기술이 만들어낸 화면의 생동감은 우리에게 재미와 즐거움을 주지만, 그것 못지않게 과몰입, 폭력성, 시간낭비, 중독의 문제를 야기한다. e스포츠의 특성상 플레이어의 즉각적인 행도에 따른 결과물을 보여주는 상황에서 e스포츠 경쟁의 본질적 개입은 도핑, 핵, 대리 등 비윤리적 행위가 개입된다. 즉 e스포츠에 참가한 선수는 상대 존중의 태도가 필수적이지만, 승리만을 위한 행동은 비윤리적 행위를 야기한다. 여기에 게임의 지속적인 참여 유지를 위해 개발사 이익의 관점도 개입된다.

e스포츠의 윤리성은 경쟁에 참여하는 플레이어의 윤리뿐만 아니라, 프로 e스포츠선수들의 윤리적 문제까지도 고려해야 한다. 여기에 게임사의 윤리적 문제도 생각해 보아야 한다. 왜냐하면 어떻게 e스포츠 장르와 경

기 내용을 만드느냐에 따라 그것이 주는 윤리적 문제는 다를 수 있기 때문이다.

외형적으로 보면 디지털 특성상 윤리적 문제가 개입될 여지가 없어 보이지만, 확산과 무한 반복이라는 디지털 특성상 윤리적 문제가 발생하면 그 부정적인 영향력은 다른 어떤 것보다 클 수밖에 없다. 예컨대 2010년 스타크래프트 선수의 승부조작 사건은 한국 e스포츠의 몰락을 가져왔다. 특히 프로 e스포츠선수들의 비윤리적 행위는 공인의 행위로서 사회에서 인정받지 못한다.[9] 그리고 재미와 즐거움을 위해 e스포츠를 하더라도 제도화된 경쟁에서 윤리적 행위는 거기에 참여한 모든 플레이어라면 지켜야할 윤리적 의무이다.

따라서 e스포츠문화는 근본적인 토대인 윤리성을 배제할 수 없다. e스포츠에서 발생한 과몰입, 폭력성, 중독 등 부정적인 측면을 지적하고 극복해야 한다는 것 자체가 e스포츠가 윤리와 분리할 수 없음을 보여준다. e스포츠가 단지 즐기는 게임이 아니라, e스포츠로 존재해야 하는 이유 그 자체에 윤리적 태도를 견지하기 때

---

[9] 김홍제(2023. 9. 4, 인벤). LCK는 미성년자 수위 높은 성적인 발언 등의 행위는 프로 선수로서의 행동에 부합하지 않는다고 하여 자격 증지 12개 월 자격 정지 처분을 내렸다.

문이다.

넷째, e스포츠의 역동성이다. e스포츠문화는 고정되지 않고 변화된다. 젊은 세대에 한정된 문화와 기성세대에 의해 낙인효과로 인식되었지만, 언제 어디에서 종교나 성별의 차이 없이 참여가 가능한 평등한 문화로 인식되어 왔다. e스포츠의 확정성은 각국의 리그 오브 레전드 리그와 도시 기반으로 프랜차이즈를 형성해갔다. 여기에 후원, 광고, 방송을 통해 수익성을 창출하는 하나의 엔터테인먼트로서 확장되었다.

반대로 선수들의 고액연봉이나 e스포츠 종목의 변경 가능성으로 인해 e스포츠의 지속가능성에 대해 부정적인 견해도 존재한다. 그럼에도 불구하고 e스포츠는 디지털 기술과 결합하여 다양한 e스포츠경기양상을 만들어낸다. 비록 아시안게임에서 경기 종목은 변화가 있더라도 젊은 세대의 e스포츠에 대한 관심이 지속되는 경기 종목의 한 형태로 e스포츠경기는 지속될 것이다. 디지털 기술의 발달에 따른 컴퓨터 기반의 e스포츠에서부터 VR/AR/MR e스포츠 그리고 모바일 e스포츠의 탄생은 e스포츠문화의 역동적 과정의 산물이다.

e스포츠의 역동성과 관련된 또 다른 특징은 인간의 신체적 활동이 현실세계를 넘어 가상세계의 결합에서 활동한다는 점이다. 현실에서는 경쟁에서 살아남기는

힘든 것이지만, 우리는 가상세계의 경쟁에서 승리를 쟁취할 수 있음을 쉽게 경험한다. 즉 자기 보존을 위한 재미와 경쟁의 경험을 가상세계에서도 확인이 가능하다. 이를 통해 현실의 삶에서도 활력을 불어 넣을 수 있다.

역동성과 관련하여 또 다른 측면에서 e스포츠문화의 부정적인 측면도 존재한다. 예컨대 인간이 주도적으로 즐기는 활동의 결과물이지만, 이제는 e스포츠문화 그 자체가 스스로의 영향력을 발휘하여 인간의 행동을 규정하고 축소하는 경향도 보인다. 특히 디지털 기계나 플랫폼에 근거하여 작동하는 e스포츠는 우리가 기술을 통제하기보다는 기술발달에 종속되는 상황에 놓이게 되는 경우도 가능하다.

물론 우리는 앞에서 언급한 네 가지 관점 중 어느 하나가 e스포츠문화를 결정짓기보다는 복잡하게 상호 연결되어 나타나는 것으로 파악해야 한다. 그리고 그 내용은 완결된 것이 아니기 때문에 다른 연구자들에 의해 비판, 검토, 추가되어야 한다.

3. e스포츠문화의 인식구조

우리가 e스포츠문화에 대해 관심은 단순히 e스포츠문화의 이해에 한정되지 않는다. 현대를 살아가는 삶의 방향성과 관련하여 미래에 e스포츠를 어떻게 만들어가야 하는지에 대한 전략적 고민도 추가되어야 한다. 또한 디지털 기술로 대표되는 기술문명의 발달을 고려한다면, e스포츠의 등장은 자연스러운 현상이지만 디지털 기술은 인간 본연의 가치를 상실하게 한다는 걱정스러운 관점도 존재하기 때문이다. 예컨대 기술발달은 철학자 하이데거(Heidegger)의 표현을 빌면 인간을 점점 닦달하여 비인간화를 초래한다고 하였다(이학준, 김영선, 2019). 디지털 네이티브 세대인, 즉 Z세대는 가상과 현실을 구분하지 않으며 서로를 영역을 자유롭게 넘나든다(송예슬 역, 2023)고 하였지만, e스포츠 가상세계의 경험이 현실에서 일어나는 과몰입, 폭력성, 중독 등 부정적인 요소를 야기한다. e스포츠문화는 앞에서 언급한 부정적인 문제를 극복할 수 있는 방안을 제시해야 한다. 이와 같이 e스포츠문화의 특징과 전략적 방안까지 제시하기란 쉽지 않다. 여기에 e스포츠문화는 디지털 미디어, 관객 또는 플레이어, 게임회사, 기술발달,

경제적 논리, 스포츠의 속성인 경쟁의 본질 등 다양한 관점의 강조점에 따라 다르게 설명될 가능성이 높다. 즉 각자 연구자들의 이론적 접근방법에 따라 e스포츠 문화의 이론적 특징과 문제점 그리고 해결방법은 다를 수밖에 없다.

결국 연구자의 접근방식에 따라 e스포츠문화의 학문적 연구는 다르게 서술될 가능성이 높고, 이에 따라 전략적 방향성 제시도 달리 제시될 것이다. 따라서 e스포츠문화와 관련된 e스포츠연구자는 e스포츠를 보는 인식 구조, 즉 도식(schema)을 명확하게 제시한 후 자신의 의견을 제시해야 한다고 생각한다. 자신의 관점 없는 해석은 존재하지 않는다. 암묵적이라고나 하더라도 자신의 대상에 대한 이해는 자신의 의식 구조 하에서 만들어지기 때문이다.

여기에서는 e스포츠문화를 바라보고 이해하는 인식 구조, 즉 도식(schema)을 제시하고자 한다. 이를 통해 e스포츠문화 연구가 어떠한 방향에서 논의될 수 있는지 검토가 가능하며, 그 속에서 우리가 지향해야 할 전략이 무엇인지를 파악할 수 있을 것이다. 저자는 e스포츠문화에 대한 인식 구조, 즉 도식을 신화적 사고, 존재론적 사고, 관계론적 사고로 분류하고자 한다.10) 이러한 도식 구조의 설명이 필요한 이유는 두 가지이다.

먼저 e스포츠문화를 바라보는 인식 구조는 아직 하나의 학문으로 만들어지지 않는 상황에서 e스포츠의 학문적 이론근거로 제시될 수 있을 것이다. 또 다른 하나는 e스포츠문화에 대한 각각의 논리적 이해를 넘어, 우리가 해결해 나가야 할 전략적 사고까지도 설명이 가능하기 때문이다.

반 퍼슨에 따르면, 그는 문화를 보는 신화적 사고를 대상에 대한 객관적인 구분과 인식을 하지 못하는 것으로 설명한다. 다음으로 존재론적 사고는 객관적인 관점에서 그 대상에 대한 본질을 파악하는 것에 초점을 맞춘다. 마지막으로 기능적 사고는 인간과 대상의 관계에서 나오는 상관성의 내용으로 제시한다. 각각의 단계는 시간적 발전의 단계에 따른 사고 작용의 전개 내용으로 설명하고 있지만, 인식 우위에 따라 적용된 것은 아니라고 하였다. 다만 기능적 사고는 우리를 둘러싼 윤리적 문제와 연관되어 있음을 주장한다. 여기에는 문화와 관련하여 인간의 주도적인 역할, 의지, 자율성을 인정

---

10) 이러한 문화발전 모형은 반 퍼슨(van Peursen)의 신화적, 존재론적, 기능적 사고의 관점에서 인용하였다(강영안 역, 1994: 35). 저자는 기능성 사고를 관계론적 사고로 설명하였다. 기능적 사고보다 관계론적 사고로 설명한 이유는 e스포츠문화의 중요한 현상이 디지털 기술에 따른 기기와 플레이어와 관계에서 나오기 때문이다.

하고, 문화를 인간과 자연 또는 세계와 상호작용을 통해서 만들어지는 것으로 설명한다(강연안, 역, 1994: 35).

이러한 문화의 이해 도식은 e스포츠문화에도 적용이 가능하다.

먼저 e스포츠문화에 대한 신화적 사고이다.

e스포츠문화에 대한 신화적 사고는 e스포츠를 보는 여러 가지 내용이 포함된다. 첫째, 신화적 사고는 e스포츠를 청소년들만이 열광하는 문화로 축소시켜 보는 것이다. 대중문화이기보다는 청소년 그들만이 즐기는 문화로 인식하는 태도이다. 둘째, 아시안게임이나 각종 e스포츠 세계대회에서 선수들의 움직임에 따른 결과에 열광적으로 박수를 보내는 관점도 신화적 사고의 일종이다. 넷째, 관객들은 뛰어난 선수의 경기 운영과 결과에 열광한다. 이는 이번 항저우 아시안게임에서 한국 e스포츠 선수단이 보여준 경기 결과에 열광하는 것과 다르지 않다. e스포츠 선수들이 보여준 능력에 따라 그들이 갖는 부의 가치에 열광도 신화적 사고이다. "신화는 주변 세계의 힘을 보여주고, 현재의 위치를 보증해 주며, 세계에 대한 지식을 제공해주기 때문에"(강영안 역, 1994: 54)

신화적 사고는 오늘날 e스포츠문화와 관련된 e스포츠

의 부정적인 요소를 강조하는 것으로 연결된다. 마지막으로 e스포츠의 신화적 사고는 현실과 가상세계의 엄격한 이분법이 적용되지 않는다는 인식 태도이다. e스포츠가 일어나는 장소는 상상으로 만들어진 가상의 공간에서 작동하지만, 그것을 이용하고 즐기는 사람은 현실에서 살아가는 사람이다. 신화적 사고는 이러한 가상의 공간을 현실과 전혀 구분되지 않는 세계로 인식한다는 점이다. 따라서 e스포츠문화에 대한 신화적 사고는 거기에서 파생하는 e스포츠의 부정적인 해결책을 위한 전략적 해결책도 제시해야 하는 숙제를 우리에게 던져 준다.

다음으로 e스포츠문화에 대한 존재론적 사고이다.

e스포츠문화에 대한 존재론적 사고는 e스포츠 현상을 하나의 객관적 사실로 파악한다. e스포츠가 보여주는 경제적 이익, 본질, 가치를 객관적인 3자적 관점에서 연구 대상으로 파악하는 접근법이다. 예를 들면 'e스포츠는 스포츠인가 아닌가'의 논쟁에서부터 'e스포츠는 e스포츠로 보아야 한다'는 관점이다. 또한 e스포츠의 등장과정을 설명하는 것도 가능하다. 즉 스포츠의 디지털화 강조에 따라 스포츠 활동의 보조역할을 강조하는 디지털 강화 스포츠(digitally enhanced sport), 스크린골프와 축구와 같은 디지털 반응 스포츠(digitally responsive sport), 가상 사이클(Zwift), 버추얼 스포츠와 같은 디지털 복제 스포츠(digital replicated sport), 디지털 내용을 플레이어가 디지털 조작으로 하는 디지털 전환 스포츠(digitally translated sport)의 과정으로 접근이 가능하다(Goebeler, et al, 2021). 우리가 일반적으로 e스포츠를 비디오 게임에서 스포츠화된 전자게임이 결합한 것(김기환, 이승애, 이민호, 2022: 307)으로 설명하는 관점도 연구자의 존재론적 관점이다.

또한 디지털 기술의 발달에 근거한 스포츠 확장의 관점에서 e스포츠문화를 설명할 수 있을 것이다. 예컨대 활쏘기의 등장은 양궁으로, 총의 등장은 사격으로, PC의 등장과 전 지구에 인터넷의 보급에 따른 스포츠화된 게임으로 인해 e스포츠가 등장하게 되었다는 점이다. 이는 시간의 흐름에 따른 문화의 발전적 사고를 보여준다. 이 모든 전제는 기술의 발전에 따른 결과물이며, 여기에 규칙과 제도화가 개입되어 하나의 메가 스포츠인 e스포츠의 등장한 것으로 설명이 존재론적 사고의 결과물이다.

이와 반대로 e스포츠 그 자체를 구성하고 있는 디지털문화의 내용을 강조하면, 즉 인터페이스, 화면, 음향, 사운드, 움직임의 인공지능 프로그램, 리터러시, 디지털 플랫폼 등 복합적인 상관관계에 대한 연구도 필요하다. 그리고 e스포츠가 플레이어의 참여로 만들어졌다면, 플레이어의 참여와 수용에 따른 유튜브, 트위치, 아프리카 TV 등 대중 미디어문화의 영향력에 대해서도 연구할 필요가 있다. 대부분의 e스포츠문화의 연구내용들이 앞에서 언급한 이러한 관점에서 분석된다. e스포츠와 관련된 존재론적 사고의 부정적인 예도 마찬가지다. 예컨대 e스포츠 디지털 기기나 플랫폼 특성상 e스포츠의 이익관계자(stakeholder)의 입장을 무시할 수 없다. 또한 e스포츠가 하나의 경제적 논리와 구조를 포함하는 상황에서 게임종목 회사의 국내, 국제 e스포츠경기종목 경기를 통제하는 형태로 점점 확대되는 상황에서 우리들의 권리나 움직임이 종속된다는 사실이다.

하지만 이러한 존재론적 관점들도 중요한 문제를 간과하고 있다. e스포츠가 하나의 완성된 결과물로 객관적으로 인식된 상태를 이미 설정하고 전제로 하는 입장이기 때문에 e스포츠문화를 만들어내는 역동적인 과정 그 자체에 대한 이해와 분석은 부족하다.

마지막으로 e스포츠문화에 대한 관계론적 사고이다.

문화는 인간이 세상과 떨어져 단지 객관적인 세계를 만들어가는 것이 아니라 우리 자신의 참여과정을 전제로 만들어진다는 사실이다(Tewes, Durt, & Fuchs,

2017). 지금은 세계적으로 대중적으로 인기 있는 e스포츠종목인 리그 오브 레전드(LOL, 롤)도 영원히 지속된다는 보장이 없다. 플레이어가 그 종목을 선택하지 않으면 사라지기 때문이다. 인간의 선택에 따라 그 종목은 사라지고, 새로운 종목의 선택은 또 다른 문화를 만들어낸다. 우리가 디지털 게임을 선택하지 않았다면, e스포츠는 탄생하지 않았다.

이와 같이 인간의 능동적인 참여에 따른 관계론적 사고에서 본다면, e스포츠문화는 우리 자신의 동사적 움직임인 동시에 동명사의 결과물이기 때문에 인간움직임 그 자체에 대한 연구도 필요하다. 직접적인 디지털 환경이 암묵적으로 우리의 행동을 제약한다고 하더라도, 그것을 선택하고 발전시키는 것은 우리 선택이기 때문이다(이상호, 황옥철, 2019). 오늘날 인기 있는 TV 오락 경연 프로그램이 전문가의 입장보다 대중이 직접 선택하는 것에 더 큰 비중을 주는 이유가 여기에 있다.

e스포츠가 스스로 영향을 확대하여 우리의 삶을 좌우하는 힘을 가지고 있지만, 반대로 우리 자신이 새로운 e스포츠문화를 만들어 갈 수 있는 능력을 가지고 있다. 여기에 우리는 e스포츠문화를 어떻게 만들어가야 하는지와 관련되어 우리가 어떻게 행동해야 하는지의 문제가 남는다. 저자는 자신이 e스포츠문화를 만들어가기

위해 자신을 둘러싸고 있는 e스포츠와 관계 설정을 어떻게 해야 하는지에 대한 질문을 던지고 해답을 찾으려는 노력이 필요하다고 생각한다. e스포츠에서 자신의 역할과 행동이 어떻게 e스포츠문화를 만들어갈 수 있는지 스스로 자문하고 답을 만들어가는 과정이 새로운 e스포츠문화를 만들어 갈 수 있다. 예컨대 자신과 관련된 e스포츠문화의 형성은 자신이 프로 e스포츠선수가 되기 원한다거나, e스포츠경기 그 자체를 만들기 위한 영상, 그래픽, 인공지능, 데이터 분석 등의 개인적 관심에 따라 다양한 e스포츠문화를 만들어낸다. 이와 같이 관계론적 사고는 e스포츠에 대한 자신의 태도에 따라 e스포츠문화의 인식과 방향성을 설정하는 중요한 역할을 한다. 디지털 기기가 인간 사고의 몸의 연장이라는 측면에서 본다면, e스포츠 움직임과 참여에 대한 결과도 자신의 책임에서 기인한다고 할 수 있다. 따라서 e스포츠의 관계론적 사고는 내가 e스포츠에 대해 어떠한 시각을 가져야 하는지, e스포츠가 나에게 주는 영향에 대한 의식을 어떻게 이해해야 하는지를 파악하는 과정이 필요하다. 그리고 더 확장하여 e스포츠에서 자신의 역할과 사회적 책임간의 관계를 어떻게 설정할지에 대해서도 고민해야 한다. 물론 위에서 언급한 e스포츠문화의 이해 도식은 완벽한 것은 아니다. 단지, e스포츠문화를 이해하기 위한 비판적 근거로서의 의미는 있다고 생각한다.

4. e스포츠문화 이해의 담론

e스포츠문화는 e스포츠를 하나의 독립적인 문화현상으로서 시간 흐름의 변화 과정과 시공간을 넘어, 그 속에서 공통점이 무엇인지를 설명하는 문화연구의 한 영역이다. e스포츠현상은 놀이의 속성, 디지털 기술의 발전, 디지털 미디어의 개입에 따른 젊은 세대의 열광, 아시안 종목으로서의 선택, 엔터테인먼트의 산업적 이익, 디지털 환경과 네이티브 세대의 등장, 부정적 낙인 효과, 가상세계와 현실세계의 연결 등 다양한 학문적 관심을 끌고 있지만, e스포츠문화와 관련된 이론적 연구는 상대적으로 부족하다.

그러나 e스포츠가 하나의 현상으로 나타난 이상 e스포츠문화를 체계적으로 분석하고 설명해야 한다. e스포츠문화는 학자들의 연구방향에 따라 경쟁과 경기의 문제, 세대 간의 문제, 플레이어와 팬들의 상호 작용 문제, 플레이들의 커뮤니티 형성, 플레이어와 디지털 미디어와의 문제, e스포츠 교육의 문제 등 다양하게 설명이 가능하다. 저자는 아직 이 모든 문제를 체계적인 이론적 내용으로 제시할 능력은 부족하다. 다만 이 장에서 저자는 e스포츠문화를 이해할 수 있는 담론적인 관점에서 e스포츠의 이론적 특징과 e스포츠를 바라보는 연구자의 인식의 관점, 즉 도식을 제시하였다. 이를 통해 e스포츠문화를 전체적으로 조망할 수 있는 이론적 기회를 가질 수 있을 것이다. 간략하게 요약하면서 이 장을 마치고자 한다.

저자는 본장에서 e스포츠의 이론적 특징을 역사성, 상호주관성, 윤리성, 역동성의 관점에서 기술하였다.

첫째, e스포츠의 역사성이다. e스포츠의 등장은 스타크래프트의 등장 이후 2000년대 하나의 장르로 등장한 25년의 짧은 역사에서도 불구하고 그 나름대로 역사성을 보여준다. 이는 전 지구적인 디지털 기술과 인터넷의 발달로 언제 어디에서나 플레이로 하여금 쉽게 e스포츠에 참여할 수 있는 기회를 갖게 되었다. 성별과 나이와 관계없는 평등한 참여 가능성은 e스포츠에 대한 열광의 문화로 나타났다. 인터넷의 전 지구적 확장과 e스포츠 참여의 접근성은 미디어 플랫폼, 게임 사이트, 프로 e스포츠 구단과의 관계 등 다양한 문화를 형성하였다.

둘째, e스포츠의 상호주관성이다. e스포츠의 상호주관성은 인간의 디지털 기술의 활용이라는 측면과 화면과 플레이어 간에 보여주는 공동의 지향점으로 둘로 나누어진다. 전자는 디지털 기술의 등장은 인간 환경을 바꾸어 살아가는 생명 진화의 일부분으로 등장하였고, 주어진 환경과 사회에서 자신만의 역사를 만들어가는 인간 행동의 결과물이다. 예컨대 초기 e스포츠의 형태는 가상세계의 클랜(Clan)이나 길드(Guild)의 관계를 현실의 장에서 모여 경기를 진행하였지만, 오늘날 e스포츠는 가상의 공간 그 자체에서 그들 간의 문화를 만들었다. 특히 SNS, 트위치, 유튜브 등의 디지털 미디어의 개입은 새로운 온라인 커뮤니티 문화를 형성하였다. 관객들은 온라인으로 경기 정보나 플레이에 대한 정보나 대회나 이벤트에 참여하기 위한 커뮤니티도 형성된다. 후자는 e스포츠를 플레이하는 주체의 문제이다. e스포츠에 참여한 플레이어는 화면 속에서 보여주는 아바타나 캐릭터를 조종하여 경기에 참여한다. 실제로 자신이 움직이고 경험하는 것을 넘어, 자신의 움직임을 실행하는 화면 속의 움직임을 보면서 경험한다.

셋째, e스포츠의 윤리성이다. 디지털 기기의 직접성은 플레이어들에게 직접적인 재미와 즐거움을 주지만, 그것 못지않게 과몰입, 폭력성, 시간낭비, 중독의 문제를 야기한다. e스포츠가 보여주는 경쟁의 본질적 개입과 게임의 지속적인 참여를 위해 설계된 e스포츠경기는 이해관계자(stakeholder)의 관점이 개입된다. 또한 e스포츠에서 부정적인 측면을 지적하고 극복해야 한다는 것 자체가 e스포츠가 윤리와 분리할 수 없음을 보여준다. 왜냐하면 e스포츠에 참여한다는 것은 평등성을 전제로 하기 때문이다.

넷째, e스포츠의 역동성이다. e스포츠는 인터넷을 기반으로 하는 롤과 오버워치, 배틀그라운드 이외에도 아케이드 게임인 대전 격투 게임 등 다양한 장르가 존재한다. 경기 종목에 따른 다양한 대회가 개최되고 그 속에서 플레이들 간의 커뮤니티가 확대된다. 그리고 디지털 기술, 미디어 플랫폼, 엔터테인먼트의 개입은 e스포츠로의 영역을 스스로 확대해 나아가고 있다. 스포츠의 관점에서 본다면, 아시안게임에서 정식종목의 선정과 올림픽에서 e스포츠에 대한 긍정적인 인식전환 등 이 모든 것은 e스포츠의 역동성으로 설명이 가능하다.

그리고 e스포츠문화의 이론적 특징 이외에도 e스포츠문화의 학문적 이해와 미래에 e스포츠를 어떻게 만들어가야 하는지의 전략적 고민도 중요한 문제이다. 이를 위해 저자는 e스포츠문화에 대한 인식 구조, 즉 도식을 3가지, 즉 신화적 사고, 존재론적 사고, 관계론적 사고로 나누어 설명하였다.

첫째, 신화적 사고는 e스포츠를 청소년들만이 열광하는 문화로 축소시켜보는 것이다. 이는 관점에 따라 e스포츠의 긍정과 부정적인 요소를 강조하게 된다. 또한 신화적 사고는 e스포츠를 현실과 가상세계의 엄격한 이분법이 적용되지 않는 상황에서 파생된 문화로 설명하였다.

둘째, e스포츠의 존재론적 사고이다. 이는 e스포츠 현상을 하나의 객관적 대상으로 파악한다. e스포츠가 지향하는 경제적 이익, 본질, 가치를 객관적인 3자적 관점에서 e스포츠문화를 파악하는 관점이다.

셋째, e스포츠의 관계론적 사고이다. 이는 우리 자신이 e스포츠에 참여함으로써 e스포츠문화를 만들어간다는 것이다. 우리는 e스포츠의 영향을 받지만, 우리 스스로 e스포츠문화에 영향력을 발휘할 수 있는 능력을 가지고 있음을 보여준다. 위의 3가지 이해 도식은 e스포츠연구자들에게 e스포츠문화와 관련된 이론적 근거를 명확하게 설정하는데 도움이 될 것이다.

제2장 한국의 e스포츠문화와
학문적 연구

1. 왜 광안리 대첩인가?

한국은 항저우 아시안 게임 e스포츠 7개 종목 중 4개 부분에 참석하여 금메달 2개, 은메달 1개, 동메달1을 획득하였다. e스포츠 중 가장 유명한 리그 오브 레전드 종목에서 금메달 획득은 한국이 e스포츠 종주국의 위상을 잘 보여준다. 하지만 이번 아시안 경기의 성과가 한국 e스포츠의 장밋빛 미래를 보장하는 것은 아니다. 이번 아시안 게임에서의 성공은 25년 동안 한국 e스포츠가 축적해왔던 결과물의 반영이라고 생각한다 (이상호, 2023.10.5).

이번 항저우 아시안게임에서 보인 e스포츠경기의 결과와 상관없이 현재 e스포츠 그 자체를 보면 프로 e스포츠 선수들의 과도한 연봉, 산업적 성장 동력의 부족, 게임사에 대한 투자 감소, 특정 종목에 편중된 관심 등은 e스포츠를 전반적인 위기의 시작으로 보는 사람도 존재한다(Browning, 2023.05.20). 하지만 e스포츠의 종목과 관계없이 e스포츠는 누구나 즐기는 하나의 문화임에는 다들 동의를 한다(이상호, 2023b).

IOC의 입장[11]과는 별개로 다음 아시안 게임에서도 e스포츠가 정식종목으로 채택되어 경기종목으로서 유지될 가능성은 높다. 하지만 e스포츠에 대한 아시안게임, 올림픽 종목선정 여부, 산업적 비즈니스의 관심과 비래한다면, 상대적으로 e스포츠의 학문적 관심은 부족한 것이 현실이다. e스포츠는 단지 경기 종목을 넘어서, 하나의 지속 가능한 발전의 전제 조건은 학문적 뒷받침이 있어야 한다. e스포츠와 관련된 경제적 관심, 산업적인 전문 인력양성도 중요하지만 이와 관련된 학문적 근거를 제시하지 못하면, 모래위에 성을 짓는 것과 같다.

물론 현실적으로 25년의 e스포츠 역사를 학문적 내용으로 규정짓기란 쉽지 않다. 그럼에도 불구하고 e스포츠학(學)과 관련하여 개론적인 설명(이학준, 2022)과 학제적인 내용(이상호, 황옥철, 2018; 이상호, 황옥철, 2019; Lee, 2023)이 있다. 비록 그들의 내용이 완벽한 e스포츠학문을 구성하는 내용이라 할 수는 없지만, 그 내용들은 e스포츠가 충분히 하나의 학문적 영역을 차

---

11) e스포츠에 대한 변화되는 IOC의 입장은 이상호(2023b)를 참조.

지할 수 있음을 보여준다. 그러나 e스포츠의 학문적 성과와 관련해서는 다른 학문적 영역과 비교한다면, 아직 미미한 수준에 있는 것이 사실이다. 이를 극복하기 위해서는 다양한 학문적 배경을 갖춘 연구자들의 학제적 연구가 뒷받침되어야 한다.

개인적으로 e스포츠는 스포츠의 인문학적 근거와 디지털 기술이 상호 융합된 학제적 연구이기 때문에 새로운 학문적 근거를 갖고 설명해야 한다고 생각한다. 그러나 저자가 전반적인 e스포츠의 학문적 내용을 제시하기에는 아직 능력이 부족하다. 다만, 학문적 연구가 필요하다면 그 내용을 어디에서 출발해야 하는가? 의 질문은 가능하다. 학문이 현실에서 나타난 현상에 질문을 던지고 이론적 근거를 제시하는 체계화된 지식이라면, 어떠한 e스포츠 현상을 연구할 것인가의 질문은 당연히 따르기 마련이다.

저자는 이를 위한 문제해결의 출발점을 한국의 e스포츠 현상을 전 세계에 알린 2004년 '광안리 대첩'의 분석에서 답을 찾고자 한다. 광안리 현상의 학문적 연구는 '광안리 대첩' 이후 20년 동안 e스포츠를 둘러싼 중요한 문제와 연결되고, 한국이 독자적인 e스포츠의 학문적 연구의 배경과 토대를 갖추고 있기 때문이다.

광안리 현상12)이라고 불리는 일명 '광안리 대첩'은

지금의 e스포츠가 보여주는 긍정과 부정의 양 측면을 그대로 보여준다. 광안리 현상으로 접근할 때 한국 e스포츠의 탄생 전후로 나타난 현상은 e스포츠의 학문적 내용의 설명과 파악에 도움이 된다. 왜냐하면 광안리 대첩, 즉 광안리 현상은 왜 e스포츠가 한국에서 탄생할 수밖에 없었고, 어떻게 미래에 e스포츠가 진화할 것인지를 잘 보여주는 하나의 사건이기 때문이다. 따라서 우리는 광안리 현상에서 e스포츠의 학문적 내용을 도출해서 검토해야 한다. 이는 차후 e스포츠 학문의 내용 구성에 이론적 근거로 적용이 가능하다.

저자는 광안리 현상의 의미를 6가지로 설명하고자 한다.

첫째, e스포츠문화를 만들었다. 한국에서 e스포츠의 등장은 IMF의 사회적 분위기, 인터넷의 보급, 디지털 게임의 등장 등 사회적 배경 하에서 e스포츠 커뮤니티와 문화를 형성하였다.

---

12) 같은 날 프로야구 올스타가 열린 부산 사직야구장에 만 5천명이 모인 것을 비교하여 하나의 현상을 광안리 대첩이라고 하였다. 저자는 '광안리 대첩'과 같은 사건(event)이 특정 시간과 공간에서 나타났는지를 면밀하게 분석하기 위해서는 광안리 현상으로 설명하는 더 적절하다고 생각한다. 하지만 본 저서에서는 일반적으로 '광안리 대첩'으로 기술하였다.

둘째, 새로운 엔터테인먼트 산업의 등장이다. 한국 e스포츠의 등장은 게임 방송국의 개입으로 시작하였다. 게임 방송은 한국을 넘어, 전 세계로 e스포츠를 확산시키는 촉매 역할과 팬으로 설명되는 관객과 경제적 관심을 끌게 되었다. e스포츠 엔터테인먼트 산업은 경기 주최, 스폰서, 팀 운영, 미디어 플랫폼, 게임 사이트, 게임 상품 제조사 등 이전과 다른 영역을 만들었다.

셋째, 디지털 미디어의 영향력 확장이다. 디지털 기술 발달은 디지털 미디어의 역할 확대로 이어진다. 인터넷의 기술적 발전은 e스포츠를 직접 보는 것과 동시에 직접 참여가 가능하게 만들었다. 지구 어디에서 인터넷이 연결되어 있다면, 직접 e스포츠경기를 보고 참여가 가능하다. 여기에 온라인 스트리밍, 트위치, 방송 해설, 크레이티브 등 다양한 디지털 미디어가 탄생하여 관전자와 소통문화를 만들었다.

넷째, 전 지구적인 스포츠 요소를 포함하는 사회문화적 현상이다. e스포츠는 경쟁의 본질이 디지털 기술의 발달에 따른 기기와 플랫폼에 근거하여 경쟁의 본질이 개입되었다. 경쟁에서의 생존을 위한 전략, 전술, 협력 및 문제해결 능력은 우리의 일상적인 삶과 행동에 영향을 미친다. e스포츠는 디지털 특성상 지리적 제한이 없고, 누구나 참여를 가능하게 한다.

다섯째, 프로 e스포츠에 대한 관심이다. 광안리 현상으로 프로 게이머이라는 직종이 탄생하였고, 그들의 경기력을 유지하기 위해서는 전략, 상호협력, 몸 건강이 중요한 주제로 등장하였다. 그리고 그들의 경기력과 연봉 이외에도 윤리적 문제도 등장하였다.

여섯째, e스포츠의 학문적 영역에 대한 관심의 증대이다. 비록 처음에는 e스포츠가 산업적 측면과 팬덤의 문화적 해석에서 시작하였지만, 광안리 현상은 왜 우리가 e스포츠에 열광하는지에 대한 근본적인 학문적 질문을 던지게 하였다. e스포츠의 학문적 요구는 국내외 대학에서 e스포츠학과 설립이 잘 보여주고 있다. 물론 연구자의 학문적 관점에 따라 광안리 현상에 대한 e스포츠의 연구방향과 그 내용이 각각 다를 수 있다.

광안리 현상의 분석은 e스포츠의 학문적 내용 이외에도 오늘날 지속 가능한 e스포츠의 전제조건이 무엇인지를 파악하는 데 도움이 된다. 오늘날 전 지구적인 경기에 따른 젊은 세대의 열광과 경제적 관심 그리고 아시안 게임 종목선택은 이러한 현상들의 결과물에 지나지 않기 때문이다. 시대적 흐름과 디지털 기술의 구현 정도에 따라 플레이어의 재미와 열광에 따라 언제든지 그 종목은 바뀔 가능성이 높다.

그럼에도 2004년 '광안리 대첩'에서 보여준 그 사건

자체는 e스포츠 학문적 연구를 위한 많은 숙제를 우리들에게 던져주고 있다. 기존 2004년 '광안리 대첩'과 관련된 연구는 e스포츠를 즐기고 받아들이는 팬덤 수용자의 관점(정헌목, 2009)과 99년부터 2007년간의 e스포츠의 10년간의 역사를 정동(affection)의 관점(이용범, 2020)으로 설명하였다. 그는 가상공간에서 클랜(Clan)이나 길드(Guild)에서 모임이 현실에서도 만나 그들 간의 경기와 친목을 도모하였다. 그는 이들 공동체에 흐르는 에너지를 정동(affection)으로 표현하였다. 이외에도 게임 산업(고정민, 이안재, 2005)과 게임PC방 문화(박건하, 2004)의 관점에서 논의되었다. 이러한 연구들은 기존 광안리 현상을 학문적으로 본격적으로 논의한 것이기보다는 하나의 팬덤이나 문화현상으로 그리고 경제적 현상 분석에 한정되었다. 하지만 본 논문과 같이 학문적 연구 관점에서 논의된 것은 부족하다.

'광안리 대첩'이 e스포츠의 시작이라면, 우리는 e스포츠의 학문적 근거도 거기에서 찾아 제시해야 한다. 2004년 '광안리 대첩' 전후로 일어난 경제, 산업, 문화적 환경의 분석과 이해는 e스포츠를 이해하는 학문적 토대가 된다. 그리고 미래의 지속 가능한 e스포츠발전을 위한 전략을 찾기 위해서라도 광안리 현상을 둘러싼 학문적 논의는 의미가 있다. 이를 위해 저자는 먼저 2

절에서는 광안리 현상의 빛과 그림자를 간략하게 설명하고자 한다. 이를 토대로 3절에서는 광안리 현상이 갖는 e스포츠의 학문적 논의를 간략하게 설명하고자 한다. 이를 통해 e스포츠가 단지 경기종목을 넘어 하나의 학문적 근거를 갖춘 e스포츠학(學)이 만들어지기를 기대한다.

2. 광안리 대첩의 빛과 그림자

광안리 현상은 한국 e스포츠 탄생을 전 세계에 알리는 계기가 되었다.[13] 그 이후 한국 e스포츠는 세계 e스포츠에서 선수들의 역량을 포함한 그 영향력이 점점 소멸해가는 과정을 광안리 현상의 빛과 그림자로 분석하였다. 이는 차후 한국의 e스포츠 역할과 e스포츠 학문적 근거 설정에 도움이 된다.

---

13) 1998년 출시된 스타크래프 출시 이후 10년간의 e스포츠 태동기와 과정은 정현목(2009), 이용범(2020), 한국e스포츠협회(2019)의 내용을 참조.

1) 광안리 대첩의 빛

한국 e스포츠의 기원은 투니버스(Tooniverse)[14]에 방영된 99 프로게이머 코리아 오픈(PKO, Progamer Korea Open)으로 인정한다[15]. 이 경기는 온게임넷(이하, OGN) 스타리그의 전신이자 세계 최초로 방영된 e스포츠 대회로 기록된다. 리그 기간은 1999년 10월 2일부터 1999년 12월 30일 까지 진행되었다. 하나의 경기종목으로 시작된 e스포츠라는 명칭은 2000년 들어와서 언론이나 사람들에게 회자되었다(이상호, 2024).

이에 따라 2000년에 개국된 한국 최초의 게임 방송국인 OGN은 스타크래프트 시리즈로 정식명칭인

---

14) 투니버스는 1995년 동양그룹(온미디어) 계열 케이블 방송으로 출범한 국내 최초의 애니메이션 전문 채널이었다. 90년대 말에는 영화전문 채널인 OCN과 더불어 케이블 채널내 시청률 수위를 다투던 채널로, 현재는 CJ E&M계열로 옮겨 갔다(인터비즈, 2018.09.25.(https://v.daum.net/v/5ba1a54ced94d2000193b6d0.)

15) https://ko.wikipedia.org/wiki/99_%ED%94%84%EB%A1%9C%EA%B2%8C%EC%9D%B4%EB%A8%B8_%EC%BD%94%EB%A6%AC%EC%95%84_%EC%98%A4%ED%94%88#%EC%B6%9C%EC%A0%84_%EC%84%A0%EC%88%98

OnGameNet StarCraft League의 이름으로 케이블 TV로 중계방송 하였다. 여기에서는 엄전김16)으로 대표되는 트리오가 중계방송과 해설을 함으로써 디지털 경기를 하나의 축제로 승화시켰다. OGN 이어 2001년 5월 MBC 게임이 주관한 '겜비시(g@mbc)'가 MBC GAME 스타리그(MSL)를 운영하였다. 각자는 자신의 방식으로 중계를 하였다. 전자는 축제의 분위기를 띄우는데 반해 후자는 처음에는 정확한 해설에 주안점을 두었지만, 나중에는 OGN에 없는 개그도 보여주었다.

이 시기의 방송은 시청자들에게 기존의 중계와 다른 시청의 즐거움을 선사하였다. 이러한 중계방송사의 성공은 대기업들이 프로리그와 선수들에 후원을 하고, 게임단 창단에 관심을 가지게 되었다. 이러한 현상이 TV 공간을 넘어 나타난 것은 2004년 광안리 현상이라고 불리는 SKY 리그 1라운드 결승전으로 이어졌다. 이 결승전은 어두운 침침한 PC방의 공간에서 벗어나 넓고 시원한 젊은이들의 공간인 바닷가에 사람들이 스타크래

---

16) '엄전김'은 엄재경, 전용준, 김태형을 말한다. 이전에는 엄정김로 불리다가 정일훈이 온게임넷 사업에 전념하기 위해 하차하고 전용준이 들어와 엄전김으로 불렸다. https://namu.wiki/w/%EC%98%A8%EA%B2%8C%EC% 9E%84%EB%84%B7%20%EC%8A%A4%ED%83%80%EB %A6%AC%EA%B7%B8

프트를 보기 위해 모였다. 많은 관객들의 참여는 e스포츠가 모니터와 PC방이라는 좁은 공간을 넘어, 세상을 향해 커다란 비행을 시작하였다.

광안리 현상의 빛은 무엇보다도 한국의 e스포츠 현상을 전 세계에 알리는 계기가 되었다. 사실 초기 한국 e스포츠의 등장에 서구 언론은 비웃었다. 광안리 현상은 게임이 지나치면 어떻게 되는지를 잘 보여주는 축소판으로 생각하였다. 하지만 광안리 현상은 한국이 e스포츠를 탄생하게 만든 조건이 구비되었음을 보여주었고, 지금의 시점에서 본다면, 한국이 앞서 나간 것에 지나지 않는다(강지문 역, 2023). 결국 광안리 현상은 e스포츠 장르가 전 세계로 확산되는 촉매제의 역할과 종주국의 위상을 잘 보여준다.

OGN이라는 게임전문 채널의 등장은 프로게이머라는 하나의 직업군을 만들었다. 그리고 방송과 기업의 후원과 스폰서와 관계는 오늘날에도 e스포츠의 중요한 요소로 작동하였다. 가상의 공간에서 현실 참여로의 확대는 e스포츠의 특징인 관전자와 직접 참여자의 역할을 동시에 강조하였고, 이는 하나의 팬텀문화로 이어지게 되었다. 하지만 프로 선수들에 대한 관심은 경제적 관점의 개입과 개인능력에 팬들이 더 많은 관심을 갖게 되었지만, 역으로 기업 홍보의 효과가 감소됨으로 해서

결국에는 기업의 관심이 떨어지게 되었다.

또한 갑작스러운 프로 선수들의 성공은 승부조작과 같은 비윤리적 행위가 개입됨으로써 서서히 그 빛이 바래지기 시작하였다. 여기에 저작권과 관련된 법률적, 제도적 결함은 전 세계에서 한국의 e스포츠 주도권을 상실하게 되었다. 결국 광안리 현상은 전 세계에 e스포츠 종주국임을 보여 주는 빛이었지만, 시간이 지남에 따라 천천히 어두운 그림자를 만들게 되었다.

2) 광안리 대첩의 그림자

모든 것은 변하기 마련이다. 한국의 e스포츠는 2004년을 정점으로 쇠락의 길로 접어들게 되었다. 긍정적인 외형적인 성과는 별개로 일명 스타리그의 몰락에는 e스포츠를 바라보는 2가지 서로 상반된 관점이 존재한다. 디지털 기술이 보여주는 가상공간에서 활동에 대한 젊은 세대의 재미와 열광이 있다면, 그 속에는 과몰입, 폭력성, 시간낭비의 부정적인 요소 그 자체를 담고 있을 수밖에 없다. 이는 2011년 11월 20일부터 정부가 청소년들에게 자정부터 오전 6까지 인터넷 게임을 하지 못하는 강제적 '셧다운제'로 나타났다.

　게임방송사의 방송과 더불어 한국 e스포츠의 빛은 전세계로 확산되었지만, 게임방송 그 자체의 한계로 한국 e스포츠의 그림자를 드리우게 되었다. 즉 한국 e스포츠의 빛과 그림자는 OGN의 시작과 몰락의 과정과 유사하다. 게임방송은 젊은 세대의 디지털 게임에 대한 열광과 이에 따른 대기업의 후원을 이끌어 내었다. 하지만 글로벌한 경제적 환경 속에서 지적 재산권, 이익관계자의 수익보장 등 법률적 뒷받침을 외면하였다. 사실 게임 방송국이 자체적으로 상품과 콘텐츠를 만들어내지 못하는 중계위주의 방송은 한계를 가질 수밖에 없다. e스포츠 종목사는 직접 e스포츠경기 종목을 만들어 내는 당사자이면서 상품을 만들어내는 공급자이기 때문에 게임 방송국과는 달리 경쟁력을 가질 수밖에는 없다.

　그러나 그 당시에 방송국은 자체적으로 자신의 콘텐츠를 생산하는 구조를 갖지 못했다. 게임 방송국은 블리자드와 한국e스포츠협회(이하 KeSPA)의 저작권과 관련된 논쟁에서도 주도권을 가지지 못했다. 이는 2007년 프로리그 중계권 분쟁과 2010년 지적재산권의 분쟁으로 나타나게 되어 결국 외국 게임 종목사의 e스포츠 영향력 확대로 이어지게 되었다. 중계권 분쟁은 프로리그를 주관하는 KeSPA가 자체 중계권 사업을 기존 방송국이 아니라, 스포츠마케팅 사업체를 선정하는 데서 출발하였다. 프로리그를 주관하는 KeSPA는 새로운 중계사업권을 이전 게임 방송사의 권리를 인정하지 않게 되었다. 이에 따라 KeSPA는 게임제작사의 지적 재산권을 무단으로 침해하는 결과로 이어지게 된다. 2010년 스타크래프트의 개발사인 블리자드 주도의 게임대회와 방송 독점권은 KeSPA와 지적 재산권과 공공재의 논란을 일으켰다.

방송국 중계와 관련하여 KeSPA의 시도에 관객들은 기존 게임 방송국의 노력과 진행 노하우가 배제된 상황에 불만을 노출하였다. 팬이라고 불리는 관객들은 기존 게임 방송국을 지지하게 되었다. 팬들은 그들이 만들어 낸 e스포츠의 노력을 인정하였기 때문이다. 이러한 현상을 정현목(2009: 86)은 방송국과 관련된 역할을 '팬들 자신의 놀이터'로 설명한다. 팬들은 기존에 잘 놀고 있는 자신의 놀이터에 외부 자본의 논리가 개입하는 것에 반발하였다. 하지만 법적인 문제까지도 팬들이 해결할 수는 없었다. 물론 이전에는 개발사가 직접 방송이나 지적 재산권에 대해 방관내지 자신의 권리를 주장하지 않은 것이 e스포츠를 확산시킨 태동기에는 긍정적으로 작동하였다는 사실은 부인할 수 없다.

게임개발사의 입장으로 본다면, 자신의 게임을 방송

에서 알리고 그들의 게임이 인기를 얻는 상황이 싫지 않았고, 방송국도 게임 중계를 통해 이익을 얻음으로서 서로에게 도움이 되었다. 하지만 게임개발사에 자본의 논리가 개입된 이상 수익과 관련된 모든 e스포츠 활동은 게임 개발사가 주도권을 가지게 되었다. 저작권의 위기는 시대적 흐름에서 본다면, 회피할 수 없는 전 지구적인 현상이다.

하지만 내부의 위기도 한국 e스포츠가 종주국의 위상을 파괴하는 데 일조하였다. 특히 프로선수들의 승부조작은 한국 e스포츠를 대중과 후원하는 대기업으로부터 외면받기에 충분하였다(한윤형, 2010.5.18.). 그 만큼 e스포츠의 제도화가 만들어지지 않았다는 사실이다. 여기에 덧붙여 경기에서 개인의 능력에 따른 팬덤의 문화는 팀을 후원하는 기업의 홍보와는 서로 상충된다. 프로 선수들은 자신의 아이디로 표현되는 하나의 정체성을 가지고 경기에 참여하고, 관객은 그들의 기술 발휘에 환호하게 된다. 어떻게 보면 그 당시 개인의 능력에 대한 인식변화는 스타리그 시작부터 내재되어 있었다.

또 다른 측면에서 개인의 능력과 팬들의 열광은 한국 e스포츠의 빛과 그림자를 잘 보여준다. 예컨대 임요환의 경우를 살펴보자. 임요환 스스로 자신의 길드를 만들기로 했다. 살해자의 영어 단어인 '슬레이어(Slayer)'

를 새 길드 이름으로 삼고 사람들을 모으기 시작했다. 그러나 이 시도는 실패로 돌아갔지만, '슬레이어즈_박서(SlayerS_Boxer)'가 자신의 길드 명칭 대신 그의 아이디가 되었다(세계일보, 2007.04.03.).

이와 같이 플레이어들은 개인이 속하는 클랜명과 개인의 아이디를 같이 표현함으로 자신이 속하는 공동체를 표현하였다. 게임 방송국의 성장과 몰락, 팬들의 개인주의 열광문화, 기업 후원의 축소, 비윤리적 프로 게이머의 역할, 지적 재산권을 둘러싼 법률적 문제는 한국에서 지속적인 e스포츠 발전의 힘을 약화시켰다. 이들 간의 연결고리의 허약성은 프로 e스포츠선수들의 경기능력을 제외하고, 세계에서 한국 e스포츠의 영향력을 점점 축소시켜 나갔다. 게임사의 영향력 확대는 지금까지도 인기 있는 종목인 리그 오브 레전드의 등장으로 미디어나 방송의 지형을 바꾸게 되었다. 디지털 미디어 기술의 확대에 따른 인터넷 방송사인 트위치, 개인 스트리머, 유튜버 크레이티브 등 개인방송은 기존 방송사와 경쟁에서 비용적인 측면에서 우위를 점하게 되었다.

결국 광안리 현상은 관객들의 디지털 게임에 대한 열광과 방송국의 개입으로 전세계에 한국 e스포츠라는 빛을 보여줬지만, 지적 재산권이나 이익관계자라는 법

률적 환경 변화에 대처하지 못함으로써 그림자를 보여
주었다. 광안리 현상 없는 2012년 리그 오브 챔피언십
시리즈의 북미리그와 2015년 리그 오브 레전드 챔피언
스 코리아(LCK)라는 전 세계적인 리그의 탄생과 e스포
츠의 학문적 근거 요구도 기대할 수 없다. 지금의 e스
포츠는 과거 한국 e스포츠의 탄생과 과정에서 보여준
찬란한 빛과 그림자의 유산이다.

3. 광안리 대첩과 e스포츠의 학문적 연구

광안리 현상은 e스포츠의 역사에서 한국 e스포츠 현
상의 시작이며, 전 세계로 알린 신호탄이다. 그 이후 e
스포츠의 주도권이 서구로 넘어가게 되었다. 그럼에도
불구하고 e스포츠 현상이 한국적 환경과 문화에서 시
작되었다는 점에서 학문적 검토도 한국적 상황과 배경
을 통해 설명해야 한다. 서구에서 e스포츠 학문의 주요
내용이 비즈니스나 커뮤니케이션으로 설명하는 이유가
광안리 현상과 같은 문화 사회적 배경이 없기 때문이
다. 따라서 광안리 현상의 전후에 보인 학문적 검토는
차후 e스포츠의 학제적 연구의 방향 설정에 도움이 된

다.

저자는 광안리 현상이 보여준 학문적 연구내용을 다섯 가지로 설명하고자 한다. 이러한 연구부분은 엄밀하게 구분되기보다는 서로 중첩적으로 연결되어 있지만, 각각의 내용은 e스포츠의 학문적 내용분석을 위한 인위적 구분이다.

1) 디지털 문화현상의 이해

광안리 현상은 1988년 3월 31일에 출시된 스타크래프트의 등장을 언급하지 않고서는 설명이 불가능하다. 이 게임은 가상의 우주에서 인류와 외계 종족들 사이에 실시간 전략 시뮬레이션 게임이다. 뛰어난 그래픽과 저그, 프로토스, 테란이라는 종족의 등장과 진영 간의 경쟁에서 그들 나름대로의 전략을 세워 경쟁에 참여하였다. 각자가 선택하는 아바타는 대등한 위치에서 자신의 기술 능력 발휘에 따라 승부가 결정하게 되는 구조로 플레이어들에게 관심을 갖게 되었다.

온라인에서 플레이어는 상대를 선택하여 경쟁하였지만, 플레이어는 적극적으로 자신이 종족을 선택하고 경쟁에 참여함으로써 그들 자신만의 문화를 형성하였다. 온라인상에서 아바타를 조정하는 과정에서 인간 간 네트워킹을 형성하였고, 그 게임 속에서 동호회인 클랜(Clan)이나 길드(Guild)라는 물리적인 공동체를 형성하였다(윤서희, 2001: 331). 이는 가상세계의 만남이 현실세계와 구분되지 않는 디지털 문화의 특징을 도출하였다.

디지털 게임 특성상 플레이어 행동에 즉각적인 반응의 결과물을 화면에서 직접 확인할 수 있었다. 이는 한국인의 빠른 행위와 결합하여 플레이어로 하여금 더 큰 즐거움과 몰입을 가져다주었다. 스타크래프트 게임은 디지털 화면에서 보여주는 영상, 사운드, 그래픽을 강화시켜 플레이어 몰입 경험의 강화와 경기 진행에서 밸런스를 유지하기 위해 저그, 테란, 프로토스가 대등하게 참여하고, 자신의 능력에 따라 결과를 바꿀 수 있는 경기 과정을 설계하였다. 이러한 경기 진행방식은 플레이어로 하여금 그 게임에 열광하였다. e스포츠의 특징인 게임에 대한 주도적인 역할을 선택할 수 있음은 그 당시 젊은 세대가 갖는 욕구와 연결된다. 중요한 것은 플레이어가 선택할 수 있는 맵은 무한한 조합이 가능하게 한다(윤서희, 2001: 334). 이는 누구에게나 공정하게 참여할 수 있는 평등성과 연결된다.

디지털 게임에서 플레이어는 자신이 선택해야 하는 모든 조건이 나를 위해 존재하는 대상으로 인식하게 되었다. 디지털 기술의 발달에 따른 화면 속에서 나타난 시각과 청각의 그래픽 화면은 우리로 하여금 주도적인 선택을 요구하게 된다. 그 속에서 플레이어는 완벽한 선택의 자유를 누리게 된다. 여기에 그들 간의 새로운 공동체의 모임은 가상세계와 현실세계를 구분하지 않는 그들 간의 커뮤니케이션을 만들어낸다. 이는 한 단어로 팬덤문화로 설명이 가능하다. 문화와 산업이 분리되지 않는 상황에서 나타난 한국의 팬덤문화의 하나로 프로선수가 광고에 등장하게 되었다.17)

2004년 그 당시 광안리 스타크래프트 결승전에 10만 명이 넘는 관객이 모일 것이라고 예측한 사람은 없다. 이 모든 현상은 디지털 문화현상의 관점에서 검토되어야 할 문제이다. 한국에서 e스포츠의 탄생은 IMF라는 한국적 상황, PC방 문화, 전국적인 인터넷 망 설

---

17) '프로게이머'라는 단어를 일반인들에게 각인 시킨 인물은 '쌈장(Ssamgjang)' 이기석이었다. 그는 최초 프로 대회였던 KPGL 2연속 우승에 이어 블리자드 래더 토너먼트에서도 우승을 기록하며 신주영과 함께 1세대 프로게이머이다. 1999년 KT 인터넷 서비스인 '코넷' CF에 광고모델로 출연하였다. 해당 광고로 인해 '쌈장 이기석'은 연예인급으로 인정받게 되었다(류종화, 2019.11.18.).

치, 과도한 학생들의 학습량과 스타크래프트 종목과 같은 새로운 인터넷 기반의 젊은 세대의 디지털 문화의 관점에서 검토되어야 한다.

단지 시간을 낭비하는 게임이 아니라, 그 게임을 통해 즐기는 젊은 세대들은 그들 나름대로 사고의 결과물인 디지털 문화를 만들었다. 그들 나름대로 디지털 게임을 통해 보여준 특징은 다음과 같다. 첫째, 게임세대는 전문가를 지향한다. 둘째, 경쟁을 즐긴다. 셋째, 팀워크를 중시한다. 넷째, 멀티테스킹이 가능하다. 다섯째, 철저한 능력에 따른 보상을 원한다(이은선 역, 2006). 이러한 모든 결과물은 광안리 현상이 보여주는 디지털 문화 현상으로 이해가 가능하다. 결국 광안리 현상은 하나의 창발적 사건(emergent event)으로 디지털 문화현상의 관점에서 학문적으로 검토되어야 한다.

2) 관전자와 행위자의 결합에 대한 이해

광안리에 그렇게 많은 사람이 자발적으로 참여한 사실은 뛰어난 선수의 경기력을 직접 현장에서 보고 싶은 관전자의 열정적 행위에 따른 결과이다. 관객이 직접

경기에 참여하여 관전하고자 하는 의도와 그 행위를 현실에서 드러내고자 하는 행동의 결합이 광안리 현상으로 나타났다. 관전자 자신이 직접적으로 플레이어의 역할을 한다는 점에서 선수와 같은 호흡을 하고 싶다는 것은 당연하다. 왜냐하면 스타크래프트는 보는 게임이면서 직접적으로 참여 가능한 게임이기 때문이다. 앞장에서 언급하였지만, 초기 e스포츠 성장의 중요한 역할은 OGN이나 MBC게임과 방송국이었지만, 관전자의 적극적인 참여가 존재했기 때문에 오늘날에도 새로운 e스포츠 장르가 존속할 수 있었다. 앞장에서 언급한 팬들의 놀이터는 개인의 능동적인 역할 강조에서 나왔다.

자신의 정체성 강조는 게임의 아이디로 표현하였다. 이는 관전자가 행위자로 결합되는 과정에서 나왔다고 생각한다. 보는 것과 하는 것의 특징은 오늘날 e스포츠에도 그대도 적용된다. 특히 1995년 전후 월드와이드웹의 시대에 태어난 G세대는 자기의 정체성은 자신이 선택하게 되었다(송예슬 역, 2022). e스포츠가 일어나는 장소는 자신의 시각 장(the field of visual sensation)에서 보이는 모니터이다. 자신이 시각 장에 보인 아바타의 움직임은 자신이 충분히 다룰 수 있다고 생각한다. 하지만 뛰어난 선수들의 기량을 모니터로 보는 것과 직접보고 환호하는 것은 다른 문제이다. 인간의 직접적인 경기 참여로 얻게 되는 즐거움은 또 다른 욕망 분출이다. 이러한 직접적인 e스포츠 참여자로서의 행위 주체는 자신이 무언가를 만들어갈 수 있는 능력 그 자체를 보여준다.

관전자와 행위자의 결합은 방송 미디어, 비즈니스, 마케팅 산업, 디지털 플랫폼 기업의 등장으로 연결된다. 예컨대 e스포츠화면에 럭셔리 브랜드의 노출은 그들의 경기 참여가 일상의 행동으로 이어지기 때문이다. 그리고 게임회사는 플레이어들의 e스포츠에 대한 재미와 열광을 지속시키기 위해 e스포츠 산업을 전 지구적인 엔터테인먼트로 확산시켰다. 이는 참여자와 행위자의 결합 형태를 유지시키기 위한 방법에서 나왔다. 다른 관점이지만, 오늘날 오디션 경쟁 프로그램에 일반인들이 단순한 관전자를 넘어 우승자를 선택하는 행위자로 인정하는 이유가 여기에 있다. 오늘날 관전자와 행위자의 결합 유지는 e스포츠경기의 성공과 성과에 중요한 역할뿐만 아니라, e스포츠 커뮤니티와 문화의 특징을 보여준다. 따라서 e스포츠에 대한 관전자와 행위자의 결합과 관련된 학문적 연구는 새로운 e스포츠경기 종목의 개발과 엔터테인먼트의 지속을 위한 유용한 이론적 근거를 갖는 것 이외에도 근본적으로 관전자의 역할이 무엇이고, 어떻해야 하는지를 파악하는 데 도움이 된다.

3) 디지털 미디어 확장에 대한 이해

미디어는 인간의 소통을 위한 매개체(medium)이며, 그 활동의 결과물이다. 맥루한(McLuhan)은 미디어를 하나의 메시지(message)이며, 인간의 연장(extension of man)이라고 주장한다. 인간의 눈, 귀, 코, 혀, 피부의 오관과 시각, 청각, 후각, 미각, 초각의 오감과 그리고 머리와 팔다리 오체의 연장이 다름 아닌 미디어라는 것이다(김성기, 이한우 역, 2002). 이렇게 나타난 미디어는 이제 그 스스로 힘을 발휘하여 통제가 쉽지 않고, 우리가 원하는 방향으로 설정할 수 없는 상황에 이르게 되었다. 이러한 통제 불가능은 0과 1로 이루어진 디지털 기술의 발달과 인간에 대한 영향력에 기인한다. 우리의 인식구조는 디지털 기술에 의해 구현된 세계를 현실세계와 구분하여 인식하지 못하고, 디지털 기술 그 자체는 우리의 행동을 지속적으로 디지털 기술을 이용하게끔 닦달하게 된다.

e스포츠는 디지털 플랫폼을 전제하지 않고서는 작동

하지 않는다. 디지털 기술의 발달로 많은 정보 데이터를 쉽게 플랫폼에 저장 가능하고, 그 정보의 이동도 용이하게 되었다. 이는 디지털 기기와 디지털 플랫폼에서 일어나는 e스포츠경기진행 속도에 영향력을 미쳤다. 하지만 디지털 기술의 발전은 e스포츠경기 진행의 영향력을 넘어 새로운 디지털 미디어를 탄생하게 하였다. 하드웨어와 소프트웨어의 발전으로 컴퓨터는 노동의 도구이지만, 놀이의 수단으로, 세계를 소통하는 도구로 확산되었다. 이는 컴퓨터가 단순한 도구와 계산기를 넘어 하나의 미디어로 인식하게 되었다(김태옥, 이승협 역, 2011: 32).

컴퓨터의 발전은 다양한 e스포츠 장르의 등장과 세계 모든 사람이 장소와 시간을 구애받지 않고 디지털 미디어를 통해 참여하여 즐기는 문화를 만들었다. 이제는 모바일 미디어로 e스포츠에 참여한다. 디지털 기술의 개입은 인터넷 상에서만 중계를 하는 트위치(twitch)와 유튜브 등 새로운 디지털 미디어가 등장하여, 전통적 미디어의 역할을 대체하고 있다. 디지털 미디어의 역할 확장은 AI, 데이터 연구, e스포츠 종목사, 미디어 플랫폼, 게임 사이트, 게이밍 상품 제조사, 게임단의 등장과 그들 간에서 미디어가 어떠한 역할을 하는지에 대한 학문적 연구가 필요하다.

4) 참여자 경험 그 자체의 연구

e스포츠에 열광하는 이유는 e스포츠가 주는 재미의 경험이다(이상호, 2022). e스포츠는 참여자로 하여금 지속적인 참여를 가능하기 위해서는 그 경기 진행이 플레이어로 하여금 일시적인 경험이 아니라, 지속적인 경험을 제공을 해야 한다. 참여자의 재미나 관심을 끌기 위해 다양한 e스포츠 종목이 탄생하는 이유이다. 예컨대 e스포츠 게임의 역사에서 게임 속 등장하는 아바타의 역할 수행은 롤 플레잉 게임(role-playing game, RPG)에서 온라인을 기반으로 다중 멀티 플레이어 온라인 게임((Massive Multiplayer Online, MMO, 다중 접속)으로 확대되었다. 여기에서는 개인의 능력을 넘어 팀원 간의 호흡, 전략, 빠른 결정, 다양한 캐릭터의 장점과 단점 파악을 요구한다. 이는 플레이어의 지속적인 참여를 요구하기 위해 설계되었다. 즉 e스포츠 종목사는 게임진행을 플레이어에게 지속적인 만족 경험을 주기 위해 게임을 설계한다.

광안리 대첩이 있던 2004년 블리자드 엔터테인먼트는 월드 오버 워크래프트(World of Warcraft, 이하 WoW)를 출시하였다. 이 게임은 플레이어로 하여금 지속적인 게임 유지를 위해 새로운 경험을 가져다주는 것에 초점을 맞추어 설계하였다. 예컨대 에버퀘스트(EverQuest)에서는 자신이 마법사나 주술사가 될 수 있었고, 모험을 통해 전설적인 보물 획득과 레벨을 올려 막강한 힘을 얻을 수 있었고, 이 모든 것은 온라인 친구와 더불어 가능하게끔 설계하였다(강지문 역, 2023: 45). 그리고 WoW는 에버퀘스트의 최신 버전으로 그래픽이나 시스템이 안정되어 훨씬 플레이어에게 친화적 게임으로 만들었다. 플레이어는 자신과 비슷한 사람과 교류, 협력하여 주어진 숙제를 풀어나감으로 해서, 경기에서 자신의 역할을 높여 간다. 플레이어들에게 지속적인 경기의 참여요구는 행동주의 심리학이 개입된다. 즉 디지털 게임을 하면 할수록 더 좋은 경험을 가져다주기 때문에 기존에 하는 게임에서 떠나기 힘들게 된다. 이 모든 것은 플레이어로 하여금 재미있는 경험을 전제로 한다. 리그 오브 레전드(이하 롤)를 만든 라이엇 회사 가치의 하나로 '플레이어 경험이 먼저(player experience first)'로 설명하는 이유가 여기에 있다.

우리는 e스포츠라는 디지털 세계에 참여해서 다양한 경험을 한다. 문제는 현실과 가상이 구분되지 않는 상황에서 플레이어 경험은 현실에서의 삶에 직간접으로 영향을 미치고 있다. 또한 우리의 몸은 주어진 가상 세

계에서도 무언가를 할 수 있는 능력을 가지고 있다. e
스포츠에 참여함으로써 그 속에서 의미 있는 행동을 취
할 수 있으며, 자신이 내린 선택에 따른 과정과 결과를
직접적으로 확인 가능한 행위의 힘(Agency)을 경험을
한다. 반면에 과도한 경험의 결과물인 중독, 과몰입, 시
간낭비, 폭력성 등 e스포츠의 부정적인 요소를 극복하
기 위해서라도 e스포츠의 경험에 대한 학문적 이해는
필요하다. 따라서 그 게임을 선택하는 가장 중요한 이
유가 플레이어의 경험이라면, 우리는 e스포츠와 관련된
경험이 무엇인지 학문적으로 검토해야 한다.

5) 인간 상상력의 능력에 대한 이해

e스포츠 등장은 인간이 사용하는 디지털 도구의 확장
이며, 인간 상상력의 결과물이다. e스포츠 종목의 탄생
은 인간 상상력의 결과물이지 하늘에서 떨어진 것은 아
니다. 칼의 등장은 펜싱, 총의 등장은 사격, 디지털 기
술과 인터넷의 등장은 e스포츠를 가능하게 만들었다.
즉 e스포츠는 인간 놀이의 과정에서 인간 상상력이 개
입되어 만들어진 디지털 기술과의 결합물이다. 오늘날

대표적인 e스포츠 종목인 롤의 탄생도 확장 맵을 통해 상상력을 발휘한 게임 디자인의 역할에서 시작하였다. 맵의 영역 확장은 게임디자이너들이 기존 게임 영역을 확장하거나 새로운 메타 게임을 만들었다. 여기에는 인간의 상상력이 개입되는 것은 당연하다. 디지털 게임의 모드 및 맵의 개발이 여기에 해당된다. 창조적인 맵 에디터(map editor)의 등장과 게임디자인의 상상력으로 새로운 e스포츠 새로운 장르가 탄생하였다.

스타크래프트 유저 제작 맵인 AOS (Aeon of Strike)를 기반으로 워크래프트 Ⅲ의 유저 제작 맵인 DotA와 DotA Allstars로 발전하였다. 이 맵은 개인의 선택하는 영웅의 움직임과에 초점을 맞추었다. 집단적 성격에서 개인의 역할 강조하였다. 반면에 롤과 같은 멀티 플레이어 온라인 배틀 아레나(MOBA)는 개인전을 넘어 단체전으로 서로의 전략과 상호 소통을 중시하였다. 이 모든 경기의 구성은 인간의 상상에서 만들어내었다. 물론 상상의 공간을 만들어 내기 위해서는 스토리텔링, 게임 디자인, 인공지능에 의한 가상세계 구축에 따른 디지털 기술 등이 뒷받침되어야 한다. 이러한 조건들은 게임 속에서 플레이어로 하여금 자신의 상상력을 발휘한 행동이 기술적으로 실현 가능해야 한다.

인간의 상상력은 단지 e스포츠 종목의 탄생에만 한정

되지 않는다. e스포츠와 관련된 인간의 상상력은 경기에서도 필요하다. 플레이어는 상상력을 발휘하여 주어진 문제를 풀어나가야 한다. 또한 주어진 인공지능의 숙제에 따라 플레이어와 팀원들과 협력하여 경기를 예측하고 승리의 전략을 세워야 한다. 뛰어난 프로 e스포츠에 열광하는 이유는 우리가 상상하지 못한 기술을 경기에서 보여줄 때이다. 이와 같이 인간의 상상력은 e스포츠의 성공 조건이다. 우리는 e스포츠를 참여하고 즐기는 대상을 넘어서야 한다. 결국 우리의 상상력으로 e스포츠 종목을 어떻게 만들 수 있는지, 디지털 기술에서 인간의 상상력이 어떠한 역할을 할 수 있는지에 대한 학문적 관심을 가져야 한다.

4. 광안리 대첩을 넘어

쿨리스(Coolis)는 e스포츠의 흥행 요소로 4가지를 제시하였다. 첫째, 경기를 숙달하고 마스터 하는데 필요한 시간과 재능인 기술(Skill)이 필요하다. 둘째, 게임을 통해 얻게 되는 커뮤니티(Community)가 성장하고 플레이어들 간의 경쟁이 촉진된다. 셋째, 게임을 구매하거나 경기에 참여하기 쉬운 접근성(Accessibility)이다. 넷째, 게임을 잘하면 얻게 되는 이점인 보상(Rewards) 이다(강지문 역, 2023: 20). 한국의 광안리 현상은 이 네 가지 요소, 즉 스타크래프트의 탄생은 기술로, 인터넷 인프라는 접근성으로, PC방을 통해 커뮤니티를 창출했고, 프로 게이머는 보상으로 이야기하였다. 하지만 이러한 관점들은 e스포츠의 특징이지 하나의 학문적 내용을 설명한 것은 아니다.

광안리 현상은 전 세계에 한국이 e스포츠 종주국임을 알렸다. 하지만 현재 e스포츠 현실은 게임 종목사의 자본의 논리에 따라 결정될 가능성이 높아졌다. 물론 젊은 세대의 e스포츠 관심과 열광으로 경기 종목으로의 관심은 증대되었다. 이제 아시안 게임에서 정식종목을 넘어, 이를 IOC도 올림픽 e스포츠 게임을 만들겠다고 하였다. 하지만 저자가 생각하기에 이러한 아시안 게임과 올림픽 종목에만 관심을 갖게 되는 것은 e스포츠의 영역을 단지 스포츠 영역의 확장으로 인식될 가능성이 높다.

e스포츠는 젊은 세대의 문화이지만, 그 발생과 과정을 살펴보면 경기 종목의 의미를 넘어선다고 생각한다. e스포츠는 ICT 기술, 인터넷 미디어, 스포츠의 경쟁 본질, 인간의 상상력의 개입 등이 개입되는 나타난 매

우 복잡한 현상이다. 우리가 광안리 현상을 예측하지 못한 상황에서, 지금의 관점에서 e스포츠의 미래가 어떻게 진행될지 명확하게 알 수는 없다. 다만 e스포츠 종목은 변할 가능성이 높겠지만, 디지털 플랫폼이나 디지털 기기에 근거한 e스포츠 현상은 지속될 것이며, 그것이 우리의 일상적인 삶에 영향을 준다는 사실은 변함이 없다고 생각한다.

하나의 중요한 사건과 현상이 나타나면 학자는 그것을 학문적으로 규명해야 한다. e스포츠가 우리의 일상의 삶, 경제, 사회, 문화, 교육 등에 직간접으로 영향을 미치는 이상 학문적 연구를 회피해서는 안 된다. 많은 사람이 스포츠 종목의 확대나 산업적인 측면에만 관심을 갖는다면, e스포츠는 한때 지나가는 유행가처럼 될 가능성이 높다. e스포츠가 지속 가능성을 갖추기 위해서는 학문적 근거가 뒷받침되어야 한다. 한국은 e스포츠학을 주도할 수 있는 학문적 연구 대상이 존재한다. 그 출발로 저자는 광안리 현상을 디지털 문화형성, 관전자와 참여자의 결합, 디지털 미디어의 확장, 참여자의 경험 그 자체, 인간 상상력의 능력에 대해 학문적으로 검토할 필요가 있다고 본문에서 지적하였다. 물론 저자가 지적한 학문적 검토도 완벽한 것은 아니다. 더 많은 연구자들이 광안리 현상을 파악하고 학문적으로

정의하는 과정에서 e스포츠의 학문은 자연스럽게 형성
될 것이다.

3장 e스포츠문화와 디지털 미디어

디지털 기술의 발달은 새로운 경쟁적인 비디오 게임의 영역인 e스포츠를 탄생하게 만들었고, 이를 즐기는 세대는 그들만의 문화를 형성하게 되었다. 하지만 이제는 모든 세대가 즐기는 하나의 문화가 되었다. e스포츠는 직접적인 참여자인 동시에 관전자의 특징을 가짐으로써 비즈니스나 엔터테인먼트 산업으로부터 관심을 받고 있다. 이에 따라 e스포츠 종목회사가 주최하는 전세계 e스포츠대회와 e스포츠 월드컵이 열린다. 아시안 게임에서는 항저우에 이어 2026년 아이치-나고야 아시안 게임에서도 정식종목으로 인정받음으로써 차후 IOC도 e스포츠를 올림픽 종목선정의 가능성을 보여주었다.[18] IOC는 올림픽 관객들은 경기에서 보여준 선수들의 뛰어난 경기력에 관객들은 환호와 박수를 보낸다. 한국은 e스포츠선수들의 뛰어난 기량 발휘로 세계적으로 e스포츠의 종주국으로 인정받고 있다.

---

18) IOC는 2025년 사우디에서 올림픽 e스포츠 게임을 개최하는 것에 동의하였다 (https://olympics.com/ioc/news/ioc-announces-olympic-esports-games-to-be-hosted-in-the-kingdom-of-saudi-arabia).

그러나 e스포츠의 산업적 측면과 경기력의 관심 증대에 비해 e스포츠의 문화현상과 관련된 논의는 상대적으로 부족하다. e스포츠문화의 연구부족은 많은 부분 일반적으로 인식하는 문화라는 단어가 갖는 긍정적인 측면과 비교해본다면 e스포츠 단어의 부정적인 인식에 근거한다. 즉 e스포츠는 시간낭비, 중독, 과몰입, 폭력성 등을 유발하는 부정적인 낙인효과(stigma)가 존재한다. 하지만 역설적으로 이러한 부정적인 내용 극복의 출발점은 어떠한 과정에서 e스포츠문화가 형성되었는지에 대한 명확한 논의가 전제되어야 한다. 우리는 그 속에서 e스포츠의 문제점과 해결책을 찾을 수 있기 때문이다.

이를 위해 먼저 우리는 e스포츠문화 형성의 가장 중요한 매개체인 디지털 미디어에 대한 이해가 선행되어야 한다. 디지털 미디어는 e스포츠의 성장과 발전과정에 가장 중요한 역할을 한다. e스포츠문화는 주어진 디지털 환경과 인간 활동의 움직임과의 결과물이기 때문이다. 좀 더 세부적으로 본다면, 컴퓨팅 기술로 만들어진 디지털 미디어와 그에 따른 플레이어 간의 움직임이 개입된다. 따라서 e스포츠문화를 이해하기 위한 첫 출발점은 디지털 미디어의 등장이 플레이어의 사고와 행동에 어떠한 영향을 미치고 있는지 파악해야 한다. 이와 관련된 논의는 상대적으로 부족하다.

　물론 디지털 미디어와 관련된 e스포츠문화의 연구는 있다. 김영선(2023)은 미디어 연구자인 맥루한의 관점에서 e스포츠문화를 디지털 미디어와 플레이하는 인간관계에서 나온 혼종된 관계에서 4가지 특징으로 설명한다. 첫째, e스포츠문화는 비대면 온라인 경쟁경기로 통해 플레이어들 간의 글로벌 관계와 상호소통을 강화한다. 둘째, e스포츠문화는 전통스포츠와 비교해서 전신 운동감각을 감소하게 하였다. 셋째, 디지털 스포츠문화로의 진입을 보여주었다. 넷째, e스포츠문화는 전 세대가 참여 가능한 공간을 열어주었다고 하였다. 송성인, 김찬룡(2023)은 e스포츠 참여자의 하위문화 특성을 사교성, 사회적 역할의 유사성, 내적 표출, 과소비, 남탓과 비난, 트롤링의 특성을 제시하였다. 이학준(2023)은 e스포츠문화의 확대방안을 초점으로 설명하였다. 그는 e스포츠 문화의 내포적 확대 방안으로 대중문화로서 e스포츠와 진짜 놀이, 생활체육으로서 e스포츠와 지속 가능성, 새로운 여가문화로서 e스포츠와 MZ세대 문화로서 e스포츠와 새로운 놀이터, 세계평화로서 e스포츠와 온라인 연대 등을 주장하였다. 그리고 e스포츠문화의 외연적 팽창으로 가상공간과 e스포츠의 확장, 스포츠의 진화와 VR스포츠, AR스포츠, e스포츠의 맛과 e스포츠산업의 확산 등으로 주장하였다. 그는 놀이하는 존재로서 호모 루덴스가 항상 놀 시간과 공간을 찾기 위한 노력에서 현실에서의 공간이 놀이터이고, 현재는 온라인 공간이 e스포츠의 공간으로 설명하였다.

하지만 김영선(2023)과 이학준(2023)의 관점들은 넓은 의미의 관점에서 e스포츠의 문화적 특징을 설명하거나, e스포츠문화가 가져야 할 방향성을 설명하였다. 그들은 e스포츠문화에 가장 영향력을 미치는 디지털 미디어가 어떠한 구조 하에서 플레이어로 하여금 e스포츠문화를 형성하였는지 세부적으로 설명하지 못하고 있다.

디지털 미디어의 등장으로 e스포츠는 누구나 쉽게 경기에 참여가 가능하고, 어디에서나 시간에 구애받지 않고 경기를 본다. 이는 새로운 엔터테인먼트 산업의 등장하게 되었다. 또한 여기에 e스포츠 크리에이티브, 옵저버, 해설자라는 새로운 영역이 탄생하였고, 여기에 참여한 플레이어의 새로운 경험은 그들만의 문화를 형성하게 되었다. 특히 디지털 미디어의 생동감은 플레이어로 하여금 현실의 경험을 잊게 만들어 몰입의 강도를 높여준다. 이로 인한 중독, 과몰입, 폭력의 문제 등을 야기한다. 기존 사회, 경제적, 환경적 요소에 근거한 인간 행동의 과정과 결과물이 문화현상이라면, 태어날 때부터 디지털 환경에서 성장한 디지털 네이티브 세대와 디지털 미디어와의 관계는 e스포츠문화의 이해에 중요하다.

본 장에서는 e스포츠문화의 근본적인 출발점인 디지털 미디어와 플레이어와의 관계를 인터페이스, 데이터베이스와 디지털 플랫폼과 기기로 설명한다. 물론 이외에도 디지털 미디어와 e스포츠문화의 설명은 학자들마다 다양한 관점에서 설명이 가능하다. 디지털 미디어의 정의에 따라 e스포츠문화의 내용은 달라질 수 있기 때문이다. 그리고 저자는 현재 드러난 e스포츠문화의 특징을 세대문화와의 만남, 글로벌의 만남, 가상세계와 현실세계의 만남으로 설명하고자 한다.

1. 디지털 미디어와 플레이어와의 관계

디지털 코드를 기반으로 동작하는 전자 매체인 디지털 미디어는 디지털 기술을 사용하여 정보를 생성, 전달 및 소비한다. 즐기는 비디오 게임이나, 게임을 할 수 있는 애플리케이션도 디지털 코드로 만들어진다. 우리는 상대방과 의사소통을 위해 SNS, 소셜 미디어를 우리 자신의 즐거움이나 엔터테인먼트로 소비한다. 이 모든 것은 디지털 미디어의 기술적 생동감에서 시작된다. 특히 유튜브, 트위치 등 상방향성의 디지털 미디어의 등장은 언제 어디에서 e스포츠에 참여가 가능한 직접적인 길을 열게 되었다. e스포츠의 특징인 집적적인 관전자와 동시에 참여자가 가능하게 된 이유도 쉽게 접할 수 있는 디지털 미디어의 영향력의 확대에 근거한다. 디지털 미디어가 우리의 삶과 유리되지 않는 이유는 컴퓨터를 사용하는 행위 또는 컴퓨터를 사용하여 이루어지는 처리과정인 즉, 컴퓨팅(computing) 기술로 우리에게 살아있는 느낌을 주기 때문이다. 따라서 e스포츠문화의 이해는 디지털 미디어와 플레이어와의 직접적인 만남이 어떻게 일어나는지, 그 관계에서 어떠한 특징을 갖고 있는 것과 밀접한 관계를 갖는다.

1) 인터페이스

인터페이스는 사용자와 기기가 상호작용이 가능하도록 도와주는 도구나 방법을 말한다. e스포츠는 디자이너가 설계한 경기 내용에 참가한다. 경기진행을 위해 디자이너가 설정한 화면 속에 나타난 캐릭터를 플레이어가 직간접인 통제하여 경기에 참여한다. 게임 디자이너는 e스포츠에 플레이어의 참여정도를 높이기 위해 규칙에 근거하여 플레이어의 자율적 능력이나 행동을 통해서 경기에서 승리를 얻기 위해 설계한다. 물론 플레이어가 쉽게 참여가 가능하기 위해 설계하지만, 달성해야 할 목표를 쉽게 다루거나 해결을 할 수 있게 만들지는 않는다.

디자이너가 설계한 경기에 참여한 플레이어는 주어진 상황이나 문제를 해결할 수 있는 행위성(agency)[19]을 경험한다. 즉 플레이어는 디자이너가 만든 주어진 장애물의 극복과정을 통해 그 결과에 만족을 하거나 실패를 경험한다. e스포츠 플레이어는 디지털화면 속에서 보여준 캐릭터의 움직임에 따른 인터페이스의 경험을 한다. 가상세계에서 경쟁에서 승리와 패배의 경험은 플레이어 자신의 일상적인 행동에도 영향력을 미친다. 가상공간

---

19) 행위성(agency)이란 플레이어가 디지털 환경에서의 특별한 경험을 말한다. 자넷 머레이(Janet Murray)는 "행위성란 참여자가 의미 있는 어떤 행동을 취할 수 있고, 또 그 자신이 내린 결정과 선택의 결과를 직접 눈으로 확인할 수 있게 해주는 만족스러운 능력을 말한다"(한용환, 변지연 역, 2001: 147). 우리는 e스포츠경기를 진행하기 위해 자신의 캐릭터를 선택하고 경기에 참여한다. 그리고 자신이 진행하는 경기과정과 그 결과의 내용을 확인한다. 행위성은 이러한 전 과정에서 경험을 느끼는 것을 말한다.

에서 다른 플레이와의 소통은 새로운 그들만의 문화를 형성한다.

인터페이스와 관련하여 1997년 스티븐 존스(Steven Johnson)는 『인터페이스 문화(Interface Culture)』 저서에서 언급하였다(류재성 역, 2000). 그는 전기의 속도로 세계를 보며, 인터페이스를 디자인의 관점에서 예술과 기술을 통합한 것으로 설명하다. 그는 컴퓨터를 대표하여 은유의 관점으로 인터페이스의 다섯 가지 구성요소로 데스크탑(desktop), 윈도우(window), 링크(link), 텍스트(text), 에이전트(agent)로 설명하였다. 이 내용을 e스포츠에 그대로 적용하기에는 어려움이 있지만, 충분히 디지털 문화와 플레이어와의 인터페이스의 관계를 이해하는 데 도움이 된다. 인터페이스는 플레이어 자신이 생각하는 것을 즉각적으로 반응하기 위한 기술 작동과 그것을 다룰 수 있는 도구로 생각하는, 즉 메타포(metaphor)로 생각해야 한다.

먼저 테스크탑으로 인식되는 컴퓨터는 전기 신호인 0과 1이라는 수치로 작동하지만, 그 결과물은 e스포츠 경쟁에 참여하는 플레이어의 움직임이 가능한 다양한 경기 양식을 만들어낸다. 이는 컴퓨터를 사용하여 이루어지는 처리과정인 컴퓨팅 기술의 산물이기 때문이다. 즉 RTS, FPS, MMORPG, AOS 등의 e스포츠 장르도 데스크탑의 양식으로 드러난 결과물에 지나지 않는다.

화면에 보이는 가상세계의 영역은 우리가 직접 만나는 현실의 공간은 아니지만, 그 속에서 자신의 생각이나 행동을 구현이 가능한 공간이다. 이는 데스크탑을 매개로 인터페이스의 연결공간이다. e스포츠 경기에서 보여주는 적의 움직임이나 파괴해야 할 기호의 표시 모두가 플레이어로 하여금 특정 행동을 불러일으키는 정보의 형태로 데스트탑에서 보여주고 있다.

화면에서 보여준 인터페이스의 역할에서 중요한 도구의 등장은 1986년에 더글라스 엥겔바트(Douglas Engelbart)의 마우스 발명이다. 마우스는 아이콘을 드래그 하거나 클릭함으로써 자신의 아바타 움직임을 가능하게 되었다(류제성 역, 2003). e스포츠 많은 종목이 마우스와 키보드를 사용하여 경기진행과 소통을 진행한다는 측면에서 마우스는 인터페이스의 중요한 도구이다. 컴퓨터에 보이진 아이콘에 대한 마우스의 움직임과 클릭은 가상현실의 움직임과 연결된다. 컴퓨터 사용용량의 증대와 디지털 기술의 발전은 게임의 그래픽을 현실세계와 유사한 환경을 만들게 되었고, 그 속에서 우리는 재미와 즐거움을 얻으려고 노력한다. e스포츠도 마찬가지다. 주어진 환경 속에서 재미와 즐거움을 찾기위해 손가락으로 자판기에 명령을 기입하고 마우스의 움직임이 더해져 플레이어로 하여금 새로운 경험이 가능하게 되었다.

데스크탑과 플레이어와의 인터페이스의 반응과 강도의 깊이는 정보의 공간 확보에 달라진다. 많은 사람들이 디지털 게임에 참여하여 경기가 진행하기 위해서는 많은 데이터가 저장되어 있어야 한다. 정보공간의 확대는 기존 데스크 화면에서 보여준 곳을 넘어 메타버스의 공간 확대, 즉 디지털 플랫폼이라는 양식으로 등장하였다. 온라인의 공간 확대는 처음에는 퐁(pong)이나 스페이스 워(spacewar) 등 컴퓨터 내에 저장된 데이터에 한정된 1인칭 게임에서 시작하였지만, 기술적 영역의 뒷받침으로 전략시뮬레이션 게임이 가능하기 위해서 더 많은 디지털 저장 기술이 필요하게 되었다.

e스포츠의 등장은 새로운 형태의 미디어를 탄생하게 만들었다. 인터넷 스트리밍 플랫폼을 통해 플레이어들 간의 다양한 대화의 주제와 논의가 진행된다. 단지 e스포츠의 인터페이스는 경기만의 영역이 아닌, e스포츠 스트리머, 유명 게임 플레이어, 크리에이터, 팬 등이 참여하여 소통하고 정보를 공유한다. 여기에서 e스포츠의 전략, 전술의 내용과 대회 결과 등에 대한 이야기와 분석을 실시간으로 진행되며, 시청자와의 상호작용을 통해 질문이나 의견을 주고받는다. 여기에서 형성된 e스

포츠 커뮤니티는 쉽게 어디에서나 접근이 가능하고 아카이브 형태로 모든 사람들에게 그 내용을 제공한다. e스포츠의 관전내용, 화면공유, 유튜브에서 스트리밍의 모든 것이 데스크탑에서 보여 진다.

윈도우(window)는 컴퓨터에서 띄워진 창이다. 윈도우를 은유적 의미로 보다면 창문 또는 열린 개방된 공간이다. 인간은 창을 통해서 자신의 움직임을 만들어 간다. 그 속에서 플레이어는 다양한 영역 확장의 경험을 가능하게 한다. 윈도우는 한 화면에서 여러 개의 창을 동시에 열 수 있기 때문에 컴퓨터의 한 화면에서 여러 가지 작업을 동시에 수행이 가능하다. 어떻게 보면 디지털 기기에 익숙한 디지털 세대가 멀티태스킹이 가능한 이유가 여기에 있다.

e스포츠에서 윈도우는 인간의 활동에 대한 새로운 가능성과 작업을 할 수 있게 한다. e스포츠경기에 다양한 참여와 주어진 장애물을 극복하려는 플레이어 노력은 창문을 열어야 가능하기 때문이다. 주어진 장애물을 극복하기 위한 자신의 행위성이 개입되고, 그 과정에서 시도, 실패, 성공의 경험이 가능하다. e스포츠의 행위가 이루어지는 화면 속의 공간이다. e스포츠의 경쟁은 자신의 한 눈에 보이는 공간에서 이루어지지만, 경기에서 승리를 위해서는 보이지 않는 창문 넘어 존재한 장

애물을 극복하기 위해 전략과 전술이 필요하다. 어떻게 보면 주어진 창문 넘어 존재하는 것을 어떻게 빨리 파악하느냐가 승부를 결정한다.

"링크는 사물들 간의 관계를 형성하는 방법이며, 의미의 상관관계를 만들어 간다"(류제성 역, 2000). 링크는 웹이나 다른 웹페이지로의 이동할 수 있는 경로를 제공하는 텍스트나 이미지로 제공된다. 텍스트는 게임에서 자신의 소통을 확산시키고자 한다. 자신이 스토리를 선택하고 무엇인가를 찾아가고자 한다. 수동적이 아니라, 능동적으로 자기결정에 따라 주변 활동이 변화되는 과정을 볼 수 있는 것에 만족을 느낀다.

이러한 링크는 e스포츠에 적용한다면, 플레이어의 선택에 따라 새로운 게임의 영역을 만들어내고, 그 속에서 색다른 경험한다. 예컨대 마인크래프트(Minecraft)의 처음 화면에 플레이어 자신이 어떤 선택을 하느냐에 따라 전개 내용이 다르게 전개 된다. 마인크래프트 처음 시작하면 아무런 설명도 없이 클리어 해야 할 퀘스트나 미션도 없다. 보여진 화면에서 플레이어는 서바일 모드와 크리에이티브 모드를 사용하여 플레이어 자신이 원하는 대로 세상을 바꿀 수 있다. 또 다른 게임인 파이어 와치(Fire watch)에서 플레이어는 텍스트의 내용을 읽고 자신이 선택한 방향에 따라 움직임이 시작된다. 자신이 선택한 길에 따라 가기 때문에 플레이어가 선택한 주인공인 헨리에 완전한 감정이입을 해서 자신이 게임을 하고 있다는 것을 잊게 만든다. 자신이 지도를 꺼내 보고, 자신의 행동 방향을 결정한다는 점에서 인간이 스스로 살아있음을 느끼며 탐구와 몰입을 가능하게 한다.

오늘날 많은 온라인 게임에서 디자이너는 이야기의 기본 재료와 기본 규칙만 제공한다. 플레이어는 자신의 잠재적인 능력을 통해 자신만의 이야기를 구성해나갈 수 있는 열린 결말로 만든다. 이를 올셋(Aarseth)은 텍스톤(texton)과 스크립톤(scription) 개념으로 설명한다. 텍스톤은 플레이어가 활용할 수 있는 이야기의 기본 재료라면, 여기에 플레이어의 상호작용이 개입됨으로써 만들어진 스크립톤으로 게임은 새롭게 재탄생한다고 하였다(Aarseth, 1997). 이는 e스포츠에 적용이 가능하다. 롤이 기존 맵의 확장으로 등장하였다는 것은 모두가 아는 이야기이다. 롤은 기존의 텍스트 스토리가 없었다면 등장하지 않았다.

e스포츠와 관련된 텍스트 관점은 경기 진행 중의 자신의 의견을 글로 표시한다. 종이로 쓰는 것이 아니라, 타이핑은 직접적으로 자신의 감정을 표현하기 때문에 신조어를 만들어내는 문화와 연결된다. 이는 기존 종이

의 세대와는 다른 그들의 문화를 만들어낸다.

에이전트(Agent)는 독자적으로 존재하지 않고 어떤 운영 체제, 네트워크 등의 일부이거나 그 안에서 동작하는 시스템이다. 에어전트는 디자이너가 플레이어로 하여금 행동을 할 수 있게 상상에 의해 만들어진 캐릭터이다. 디자이너가 0과 1이라는 이진법으로 만들어진 아바타는 플레이어가 직간접으로 통제하기 위해 만들어진 의인화된 대상이다. 에이전트는 화면 속에서 다른 플레이어와 경쟁하기 위한 도구인 캐릭터도 있지만, 플레이어에 영향을 미치는 컴퓨터에 작동된 NPC(non-play character)도 존재한다. 이는 시스템의 환경에 따라 스스로 움직이는 에이전트이다. NPC는 스토리의 설정에 따라 플레이어에게 정보를 제공하거나, 단순히 배경으로 존재한다. 즉 플레이어는 NPC의 에어전트를 새로운 의미를 부여한 하나의 인격체로서 인정한다.

컴퓨터에서 에어전트의 등장은 1987년에 애플 컴퓨터를 홍보하기 위해 발표된 지식 항해사(knowledge navigation)에서 등장하였다. 화면 상단에 턱시도를 한 배우를 배치하여 디지털 하인이라 불리는 에이전트를 등장시켰다. 가상 인간과 파워북 상단에 턱시도를 차려입은 배우를 배치하여 플레이이가 주문하는 내용을 처리하는 과정을 보여주었다. 원래 애플 미래의 비전을 잘 보여주기 위해 만들었다. 이 애플의 비디오는 인공지능의 역할을 인정하게 되었고, 다른 사람과 소통이 가능함을 보여주었다. PC와 소통은 화면에서 자신을 대신한 에이전트는 e스포츠에서는 경기에서 플레이어가 조정하는 아바타와 유사하다.

디지털 미디어와 플레이어간의 인터페이스의 경험은 우리 일상의 삶에 침투하여 이야기 전달방식, 물리적 공간 인식, 생활방식까지 바꾸게 되었다. 인터페이스는 e스포츠경기 진행뿐만 아니라, 새로운 e스포츠문화를 만들어내었다. e스포츠종목을 만드는 회사의 입장에서 본다면, 사용자 경험을 개인화에 맞는 기능을 제공하기 위해 노력한다. 경기에서 플레이어 자신의 경기력을 최대한 발휘하기 위해 테마 설정, 사용자 지정 단축키, 언어 선택 등 기능이 사용자의 요구와 취향에 따라 만들어져가고 있다. 디지털 기술의 발전에 따른 개인적으로 인터페이스를 이용하는 사람들에게는 자신만의 경기 진행 사항을 설명하고, 다른 사람과 공유하여 즐기거나 수익성으로 연결하고자 한다.

2) 데이터베이스와 디지털 플랫폼

우리는 자신의 생각이나 정보를 데이터의 형태로 PC 나 클라우드에 저장한다. 데이터는 USB 나나 웹 하드로 이동도 용이하게 되었고, 클라우드의 저장은 언제 어디에서도 사용이 가능하게 되었다. 이제 데이터에 근거한 클라우드의 일상생활은 이제 우리에게 익숙하다. 디지털 기술의 변화는 데이터의 이동과 저장의 속도를 가속화시켰다. 이제 컴퓨터는 단순환 도구와 계산기를 넘어 우리의 삶에 영향을 주는 매개체, 즉 미디어로 인식하게 되었다(김태옥, 이승협 역, 2011: 32). 이러한 미디어의 가장 중요한 기능의 하나가 데이터의 저장과 활용이다. 데이터베이스의 축적은 컴퓨터를 이용해서 영상, 음성, 문자, 애니메이션, 게임 등이 멀티미디어라는 용어가 가능하게 되었다.

데이터베이스의 확대는 클라우드를 기반으로 하는 게임의 등장으로 이어진다. 이는 플레이어가 직접 자신의 기계에 접촉해서 경기를 실행하는 것이 아니라, 게임 서비스 업체가 미리 다양한 게임을 저장해두고 플레이어가 실행하는 방식이다. 즉 온라인 스트리밍을 통해 일정 금액의 사용료를 지불하고, 자신의 경기조작 방법을 서브에 전달하면 경기가 진행된다. 네트워크 환경이 구비되면 플레이어는 언제 어디에서 경기에 참여할 수 있는 장점이 존재한다. 이와 같이 데이터베이스의 축적은 편리한 경기 참여의 기회확대뿐만 아니라, 경기 양상을 바꾸어 놓았다. 예컨대 롤에서 보인 지속적인 패치의 변화와 과정은 그 경기과정에 대한 데이터베이스에 근거하여 새로운 경기과정을 만들어낸다.

데이터베이스는 e스포츠에서 중요하게 생각된다. 모든 경기는 데이터화 되어 누구나 그 경기의 과정과 전략을 데이터로 확인이 가능하다. e스포츠경기의 승패여부는 데이터의 수집, 저장, 관리, 분석, 활용 등이 중요한 요소로 등장하였다. e스포츠를 만든 회사도 자신들의 게임 이용을 증대하기 위해 고객의 행동과 성향을 분석하기 위해 데이터를 이용하다. 예컨대 롤 게임을 만든 라이엇 게임즈(Riot Games)는 모발리틱스(Mobalytics)라는 게임 전용 데이터베이스를 축적하는 회사를 만들어 매 경기 후 데이터가 수집하고 축적한다. e스포츠는 컴퓨터 속성상 경기의 리플레이 과정이 데이터로 축적된다. 이를 통해 우리는 롤 경기를 세분화하여 경기의 전략분석에 활용한다. e스포츠경기의 승리를 위해서 빅 데이터의 활용은 더욱더 중요시되기 때문이다. 이 데이터베이스에는 경기 시작에 대한 다양한 초보 안내서, 상위 팀 구성, 최고 승률을 기록한 문자

등이 포함하고 있다.[20]

　e스포츠 장르는 데이터베이스를 기본으로 한다. 디자이너가 설정한 목표, 장애물, 환경 등의 설정과 그것을 달성하고 극복하기 위한 노력 과정이 인위적으로 설정한다고 할지라도, 그 밑바탕에는 데이터베이스가 축적되어야 있어야 한다. 데이터베이스의 축적으로 나타난 디지털 기기와 디지털 플랫폼은 e스포츠경기양상을 결정한다. 컴퓨터, 스마트폰, 태블릿, 스마트워치 등과 같이 전자적인 장치들을 지칭한 디지털 기기의 하드웨어는 e스포츠경기에서 사용되는 도구의 차이점을 보여준다. 이는 아케이드 게임, 비디오 게임, 온라인 게임, PC 게임, 모바일 e스포츠, VR/MR/AR e스포츠 등에서 사용한 도구가 다름을 보여준다. 아케이드 게임은 오락실에서 경기가 진행된 철권과 같은 게임을 말한다. 비디오 게임은 텔레비전이나 모니터의 화면에 Wii과 같은 전용 게임기를 연결시켜 경기에 참여한다. PC 게임은 원격 서브에 접속해서 게임을 다운로드해서 참여한다. 모바일 e스포츠는 휴대폰 단말기로 사용자가 디지털 세계에 접속하여 경쟁에 참여하여 즐긴다.

　오늘날 대중적인 e스포츠경기는 경기를 진행하는 자

---

20) https://towardsdatascience.com/the-data-science-boom-in-esports-8cf9a59fd573.

신만의 디지털 플랫폼을 근거로 작동한다. 그 속에는 경기진행의 소프트웨어나 인프라 구조, 서비스를 위해 작동한다. 이러한 e스포츠의 디지털 플랫폼은 수익성 창출이라는 관점에서 사용자들이 서로 상호작용하고 정보를 공유할 수 있는 환경을 제공한다. 또한 디지털 기기와 플랫폼의 확장은 PC 기반의 e스포츠에서 VR/AR/MR e스포츠와 모바일 e스포츠의 이동으로 가능하게 되었다. 데이터베이스로 근거한 미래의 e스포츠는 AI와 생성형 AI가 e스포츠경기 내용의 개발에 어떻게 적용되느냐에 따라 다르게 전개될 것이다.

2. e스포츠문화와 현대사회

1) e스포츠와 MZ 세대의 참여 문화

MZ 세대는 밀레니엄 세대와 Z세대를 통칭하는 인구통계학적 개념으로 1981년부터 2010년 사이에 태어난 사람들을 말한다. MZ 세대는 디지털 기술과 함께 자라면서 온라인 환경에서 다양한 활동과 경험을 즐긴다. MZ 세대는 디지털 기술과 인터넷이 널리 보급된 시기에 성장한 세대로 디지털 네이티브로서 인터넷에 익숙하다. 인터넷은 MZ세대에게 정보, 연결, 엔터테인먼트, 경제적인 기회 등을 제공하여 그들의 삶과 문화에 큰 영향을 미치고 있다. 그들에게 인터넷은 정보와 지식을 획득할 수 있는 유용한 수단이며, 사회적 커뮤니케이션을 하는 세대이다. 예컨대 그들은 인터넷을 통해 엔터테인먼트와 미디어 소비를 즐긴다. 온라인 동영상 스트리밍 서비스를 통해 영화, 드라마, 유투브 컨텐츠 등을 시청하고, 음악 스트리밍 서비스를 통해 다양한 음악을 감상한다. 또한 소셜 네트워크 서비스를 통해 친구들과의 연락, 소통, 사진 및 동영상 공유하고, 온라인 플랫폼을 통해 실시간으로 대화하고 소통하는 도구이다. 이러한 1990년대 후반 디지털 문화를 향유하는 세대를 이동연(2019)은 디지털 문화부족이라고 하였다. 그들은 온라인 커뮤니티로서 유사한 정서와 취미, 유목적인 성격, 디지털 기수의 활용, 온라인 네트워크의 삶의 특징을 갖는다고 하였다.

이상호(2022.01.17)는 e스포츠의 경험과 재미가 MZ세대만의 의식과 시각 형성에 커다란 영향을 주었다고 주장한다. 그에 따르면 인간의 활동과 인식태도는 개인의 유전자, 의지, 태도도 중요하지만 그들이 살아온 문화적 환경 또한 무시할 수 없다. MZ 세대는 극단적으

로 말해서 디지털 환경 속에서 성장한 세대이며, e스포
츠 경험은 그들의 세계관 형성에 영향을 미쳤고, 이는
기존 사회 문화적 현상에 보는 인식의 틀을 형성했다.
특히 그 중에 대표적인 e스포츠종목인 롤(LOL)의 경험
은 젊은 세대의 사고방식과 행동 그리고 세계를 보는
인식의 틀을 형성했다.

첫째, MZ 세대는 계층의 위치를 인정한다.

e스포츠는 인종, 성별, 국가, 나이와 관계없이 누구나
참여가 가능하다. 하지만 그 결과는 명확하게 드러난
다. 계층이라고 불리는 티어(tier)의 순위가 명확하기
때문이다. 한국의 LCK(리그오브레전드 챔피언스 코리
아)에 로스터된 10개의 프로 팀에 팀당 선수가 넓게
잡아 10명이라고 한다면 전체 선수는 100명이다. 챌린
저에 속하는 인원이 정확히 3백 명인데, 이는 전체 롤
사용자의 0.005%를 차지하는 챌린저 티어의 수보다
더 적은 수치이다. 그들을 인간의 얼굴을 한 신(神)이라
고 불려야 한다고 저자는 생각한다.

초중학교 학생들에게 공부를 잘하는 것도 친구의 부
러움을 불러일으키지만, e스포츠를 잘하는 것도 그것
못지않은 존경과 부러움을 받는다. 그들이 승취한 위치
의 결과, 즉 다이아몬드, 마스터, 그랜드 마스터, 챌린
저 등 각각의 등급을 통해 그들 자신의 노력이 개입된

위치를 인정하게 한다. 이런 부분은 MZ 세대의 인식에 암묵적으로 영향력을 미친다고 생각한다. 이는 젊은 세대가 개인의 능력에 대한 인정, 그것의 부산물인 계층(tier)의 인정을 당연하게 받아들이는 것으로 연결된다.

둘째, MZ 세대는 평등성을 전제로 한 노력의 결과물에 박수를 보낸다. e스포츠 플레이어들은 그들의 노력과 위치를 존중한다. 모두가 공평하게 시작해서 나온 결과에 따른 부의 차등에 대한 존재인식을 MZ 세대는 e스포츠를 통해 갖게 된다. 예를 들어 100미터 달리기는 모든 사람에게 공평하게 출발기회를 준다. 그러나 그 결과는 메달의 색깔로 구분된다. 100미터 달리기 경기의 가장 공평한 사실은 꼴찌보다 1등에게 더 많은 환호, 박수, 상금을 주는 것이 당연시 된다는 것이다. 이는 뛰어난 선수들이 고액의 연봉을 당연한 것으로 받아들이게 한다. 70억이 넘는다는 '페이커' 이상혁의 연봉은 두말할 필요도 없고, 더 많은 프로e스포츠선수들이 연봉을 위해 팀을 옮기는 것을 당연하게 생각한다. 그러나 프로e스포츠선수들의 고액연봉을 당연한 것으로 받아들이더라도, 그것이 e스포츠 생태계를 유지할 수 있는지는 다른 차원의 문제이다.

셋째, MZ 세대는 자신만의 자유로운 선택을 한다. e스포츠의 특징은 자신의 자유로운 선택이다. 롤 경기에서 플레이어는 150명이 넘는 챔피언가운데 주도적으로 자신의 아바타를 선택하고 경기에 참여한다. 경기를 위한 챔피언의 선택은 자신의 기호, 감정, 의지를 포함한다. 선택 과정에서 외부적인 도움을 받기도 하지만 전적으로 자신이 선택하고 그 능력을 키워나가고자 한다. 또한 주도적인 참여로 인한 과정과 결과를 자신의 전적, 리플레이 등을 통해 직접적으로 확인할 수 있다. 가상세계에서 발휘되는 주도적 능력은 현실세계와 다르다고 할지 모르겠지만, 직접 경험해보지 못한 사람이 그 의미를 파악하기란 힘들다.

넷째, MZ 세대는 상호 수평적 관계에서 명확한 지시와 답을 요구한다. e스포츠의 피지컬 능력에는 멀티태스킹, 조준의 정확도, 반응속도, 상황판단 등이 요구된다. 특히 조준의 정확도와 즉각적인 반응의 경험은 경기의 영역을 넘어 일상생활에도 적용이 된다. 이를 통한 명료한 지시, 정확한 사실, 결과의 과정에 대한 인식의 경험은 고스란히 MZ 세대에게 흡수된다. 이는 필자의 아들에게도 들었던 이야기다. MZ 세대는 권위에서 나오는 이야기가 아니라, 상호수평적인 관계에서 명확한 내용의 설명과 답을 찾을 수 있는 이야기를 원한다. 이 모든 것은 MZ 세대의 디지털 경험이 그들의 의식구조를 결정한다는 중요한 방증이다.

이와 같이 MZ 세대에게 롤(LOL)을 중심으로 한 e스포츠의 경험은 MZ 세대의 인식구조에 상당한 영향력을 미치고 있다. 그러므로 MZ 세대 이해의 출발 또한 주어진 환경, 문화, 그들의 인식구조를 파악할 때 정확한 이해가 가능하다. 태어날 때부터 디지털 기기에 익숙한 MZ 세대를 기성세대가 이해하려면 기성세대가 직접적으로 e스포츠를 해보는 것이 최고의 방법이다. 물론 기성세대에게 디지털 기기는 익숙하지 않고, 하물며 롤(LOL)과 같은 경기는 더욱 어렵다. 그러나 잘하지 못하더라도 이해하고자 하는 노력 그 자체가 그들을 이해하는 출발점이 된다. 모르면 자신의 자녀 또는 조카들에게 물어보자. 그들은 충분히 가르칠 능력이 있으며, 기꺼이 기성세대의 요구에 즐겁게 반응한다. 이런 사소한 대화가 세대 간의 소통의 첫걸음이 될 수 있다.

미디어 학자인 맥루한에 따르면 미디어는 인간에게 유용한 기술적 도구를 넘어, 이제 인간의 감각 활동의 확장으로 인식하였다. 하지만 디지털 기술의 발달에 따른 디지털 미디어의 등장은 미디어의 수동적인 역할을 넘어, 이제 미디어가 스스로 힘을 발휘하여 우리가 통제 가능하지도 않고, 원하는 방향으로 설정할 수 없는 상황에 이르게 되었다. 인생에서 자기 스스로 결정해서 참여한 삶은 의미가 있다. 누군가에 의해 규정지어진 삶은 힘들다. 자신이 주인이 되는 경험은 현실보다는 가상의 영역에서 쉽게 경험이 가능하다. 가상에서 만나서 그들의 공동체를 형성하는 클랜이나 길드의 모임이 진정한 놀이문화의 일부분 이었다. 좁게는 e스포츠경기에의 참여이며, 넓게 보면 모든 사람의 참여로 나타나 그들 간의 새로움 문화를 만들어 낸다.

디지털 플랫폼이 작동하는 상황에서 e스포츠 플레이어는 언제 어디에서나 참여하여, 경쟁을 경험한다. 플레이어들은 특정 장르의 e스포츠에서 자신의 실력을 향상시키고 경쟁력을 갖추기 위해 노력한다. 경기 참여는 개인과 팀의 역량을 증명하고자 한다. 그리고 플레이어들 간에는 다양한 게임 커뮤니티, 즉 전략 공유, 경기 분석 등 이야기하고 소통하고자 한다. 또한 전 세계의 팬들은 스트리밍 플랫폼을 통해 실시간으로 중계되는 e스포츠경기를 시청한다. 대회 중계, 하이라이트 영상, 해설 및 코멘터리 등은 e스포츠 시청문화를 형성하고 팬들에게 흥미로운 경험을 제공합니다. 여기에서 플레이어들은 경기에서 일어난 사건과 전략을 분석하고 배울 수 있다.

디지털 미디어로 대표되는 e스포츠방송은 경기진행과정에 직접적인 참여의 기회를 제공하고, 여기에서 그들만의 e스포츠문화를 형성한다. e스포츠는 전 세계적으로 다양한 문화적 영향을 받는다. 다양한 국가와 지역의 e스포츠 커뮤니티는 자체적인 문화적 특징을 가진다. 이는 어떻게 e스포츠가 한국에서 탄생하였는지를 생각하면 쉽게 이해가 가능하다. e스포츠 종목의 선호도는 각 나라마다 다르다. 여기에 덧붙여 오늘날 e스포츠는 음악, 럭셔리 브랜드, 패션, 예술 등 다양한 분야의 세대문화와의 융합도 이루어지고 있다.

2) 글로벌 참여문화

e스포츠는 디지털 시대의 산물이다. 인터넷과 컴퓨터 기술의 발전으로 온라인 게임이 대중화되고 e스포츠가 형성되었기 때문이다. 디지털 네이티브 세대는 다른 세대보다 디지털 기술을 보다 자연스럽게 활용하며 e스포츠문화에 더욱 적극적으로 참여한다. 예컨대 투위치, 유튜브 등 온라인 스트리밍 플랫폼을 통해 실시간으로 경기를 시청하고 플레이어들의 플레이를 관찰할 수 있으며, 이러한 스트리밍 문화는 e스포츠의 글로벌 참여문화와 밀접한 관계를 갖는다. 플레이어들과 팬들은 소셜 미디어 플랫폼을 통해 경기 결과, 하이라이트, 토론 등을 공유하고 소통한다. 이러한 온라인 커뮤니티는 글

로벌 참여문화를 만들어 낸다. 왜냐하면 e스포츠는 온라인 환경을 기반으로 하기 때문에 지리적인 제한을 극복하고 국경을 초월하여 참여와 경쟁이 가능하기 때문이다. 이를 통해 다양한 국적과 문화를 가진 사람들이 함께 게임을 즐기고 경쟁을 한다. 물론 e스포츠는 다양한 국가와 지역의 문화적 영향을 받는다. 각 지역마다 선호하는 게임이나 플레이 스타일, 전략 등이 다를 수 있으며, 이러한 차이는 게임과 e스포츠 커뮤니티에 다양성을 가져온다.

오늘날 각종 e스포츠 국제대회와 이벤트에 대중은 적극적으로 참여한다. 참여의 방식이 현장일 수도 있지만, 온라인으로 직접 참여가 가능하기 때문이다. e스포츠가 글로벌문화 특징의 하나는 단체전으로 경기를 하는 경우 한국팀을 제외한 다양한 국적을 가진 플레이어들로 구성되어 있다. 이는 e스포츠가 전 세계에서 인정받는 e스포츠 현상으로 받아들여지고 있다는 사실이다. 이러한 글로벌 문화 현상은 인터넷과 온라인 플랫폼의 발전과 함께 더욱 확산될 수 있으며, e스포츠가 글로벌하게 인기를 얻는 중요한 이유이기도 하다.

3) 현실과 가상세계와의 만남

현실에서 화려한 격투기 기술을 상대에게 무차별적으로 공격을 할 수 없다. 킹 오버 파이터와 철권에서 연속적인 공격으로 상대를 한 번에 거꾸러뜨리는 것에 우리는 환호를 한다. 디지털의 비트로 만들어진 공간이지만 그 속에서 현실의 결핍을 잠시나마 잊게 만든다. 우리는 디자인에 의해 만들어진 통제된 공간에서 주어진 시간의 제약 속에도 도전하고 그 속에서 승리와 패배의 희열을 경험한다. 가상공간은 합리주의적 경쟁시스템에 근거한 경기가 진행된다.

프랑스 철학자인 보드리야르는 가짜 복사물이라는 시뮬라크르(Simulacra)의 가상세계를 현대사회의 특징으로 설명한다. 그는 가상과 현실의 경계가 명확하지 않은 상황을 현대사회의 특징으로 설명한다. 즉 원본과 복사본의 경계가 모호해지다가 복제물이 원본을 대체한다고 하였다. 이는 e스포츠에도 적용이 된다. 컴퓨팅 기술을 기반으로 보인 화면에서 진행되는 e스포츠경기에 참여가 시작되고 경기에 몰입하면, 그 자체가 플레이어 자신도 모르게 가상세계를 현실로 받아들인다. 포켓몬 고와 같은 증강현실의 게임이나, 헤드셋으로 가상세계에 참여한 플레이어는 그 가상을 현실과 다르지 않다고 생각한다. 인지 과학적 측면에서 본다면, 가상공간에서 보여준 내용을 우리의 뇌는 가상과 현실을 구분하지 못한다(이상호, 2024).

가상세계와 현실세계가 밀접한 관계는 경제 영역에서도 보인다. 이와 관련하여 에드워드 캐스토로노마(Edward Castronova)는 가상세계(Virtual World)에서 축적한 재화가 현실에서 통용되는 경제적 현상을 '가상세계(Virtual world)'라는 논문(Castronova, 2001)에서 주장하였다. 그는 MMORPG 게임 속 활동이 현실과는 다르게 보이지만 현실과 유사한 경제, 사회 체계가 구축된다. 그는 온라인 게임 내 경제 시스템이 현실 세계의 경제와 유사한 특성을 가지고 있으며, 이를 통해 가상 세계가 현실 세계와 유사한 경제적, 사회적 상호작용을 제공한다고 주장한다. 예컨대 가상세계 안에서 소비, 물물교환, 경매 등 경제활동을 한다. 이 논문에서 그는 가상공간에서 그들의 공동목표를 얻기 위해 서로 경쟁하고 협력한다고 하였다. 따라서 근 가상세계의 연구가 현실세계를 이해하는 데 도움이 된다고 하였다.

비록 개인적 재미나 시간을 보내기 위해 가상의 게임에 참여하지만, 그 참여 과정에서 만들어진 클랜이나 길드의 만남은 현실에도 이어지게 된다. 가상세계와 현실세계가 서로 분리되지 않고 연결되고 있음을 보여준다. 이는 한국 e스포츠의 등장에 따른 그들만의 문화를 만드는 기폭제가 된다. 따라서 e스포츠에서 가상세계와 현실세계는 서로 다른 개념이지만, 상호작용하고 연결되어 있는 관계로 인식해야 한다. 가상은 한자인 假想, 즉 사실이 아니거나 존재하지 않는 것이기보다는 아직 만들어지지 않았지만 언제 가는 형태를 보여주는 즉, 가상(可象)으로 이해해야 한다.[21]

가상세계는 디자이너가 디지털로 만든 게임의 영역이지만, 그것을 해결하는 방식은 현실의 행동과 다름이 없다. 단지 자신의 행동 개입에 따른 직접적인 결과를 볼 수 있다는 점에서 현실과는 다르지만, 플레이어는 게임이 정해진 규칙과 목표달성을 위해 노력한다. 가상세계에서의 경기 결과와 성과는 현실세계에서 인정받고 경쟁력을 증명하는 역할을 한다. 또한 가상세계에서의 전략과 팀워크 등은 현실에서의 경험에도 일정 정도 도움이 된다. 물론 플레이어는 가상세계와 현실세계가 구

---

21) 이는 가상의 영어인 virtual의 어원의 해석과도 유사하다. virtual의 명사인 virtue는 도덕, 탁월성으로 해석된다. 그러나 그 단어의 라틴어 기원인 virtus는 잠재성과 능력으로 해석된다. 따라서 virtual 현실과 다른 존재하지 않는 것으로 해석해서는 안 된다 (https://www.etymonline.com/search?q=virtual).

분된다는 것을 직시할 필요가 있다. 이는 윤리적 문제와 연결되기 때문이다. 그렇지 않으면 중독, 현실감각 부재, 중독, 과몰입이 발생한다.

3. 디지털 미디어의 경험을 넘어

지그문드 프로이드(Sigmud Freud)는 어린 손자의 놀이를 보면서, 인간의 실패 경험을 어려움을 극복하는 과정으로 해석하였다. 그의 손자는 실을 묶은 패(이하, 실패)를 멀리 던지고, 실패에 달린 실을 다시 끌어당기면 실의 패를 보는 놀이를 하였다. 전자에서는 포르트(fort), 즉 없다는 것이고, 후자는 다(da) 여기 있다는 놀이이다. 이는 놀이 경험을 통해 어린아이의 엄마와의 결별을 극복할 수 있는 과정이라고 하였다. 어린 아이에게 처음 수동적으로 부모와의 헤어짐은 공포와 두려움을 만들어낸다. 이러한 부정적 요소의 극복은 자신이 실패를 던짐으로서 엄마를 보낼 수 있는 능동적인 경험이 있어야 하기 때문이다. 언제든지 자신이 실패를 당길 수 있는 것과 같이 엄마의 존재와 결합을 할 수 있음을 보여줌으로써 아이에게 주어진 엄마와의 헤어짐을 극복할 수 기회를 제공하였다. 현실의 놀이에서 어린아이는 실패를 통한 경험을 통해 새로운 해결책을 얻는다.

과거에는 현실의 공간에서 놀이가 이루어지지만, 오늘날에서 놀이터는 가상의 공간이다. 그 공간은 가상세계에서 디자이너가 설정한 가상세계에서 설정한 경험을 제공한다. 그것이 경쟁일 수 있고, 즐거움일수도 있지만, 새로운 경험을 제공한다는 것은 프로이드가 언급한 실패의 놀이와 다르지 않다. 문제는 가상공간의 경험이 현실에 어떠한 영향을 주느냐에 대한 인식의 차이가 존재할 뿐이다. 누군가는 e스포츠가 과몰입, 폭력, 시간낭비, 중독의 부정적인 요소를 제기하지만, 또 다른 이에게는 새로운 경험의 배울 수 있는 기회를 가진다고 한다. 각각의 입장은 다르지만, 둘 다 상상을 통해 경험하고 우리 자신에게 어떠한 영형을 미친다는 사실은 변함이 없다. 단지 일상의 놀이 경험보다 e스포츠의 경험은 누군가에 의해 만들어진 조건에 의해서 형성된다는 점에서는 현실과는 다르겠지만, 가상환경에서 축적된 경험은 이제 일상적인 삶에서 영향력을 미친다는 사실을 부인하지 못할 것이다. 앞에서 언급한 프로이드의 놀이 양태도 치료를 위한 방법으로 의미가 있다면, 외상 후 스트레스 장애(PTSD), 중독(알코올, 니코틴, 도

박), 섭식장애, 주의력결핍 과잉행동장애(ADHD) 등도 가상현실을 이용한 치료도 도움이 된다.

중요한 것은 정도의 차이는 있는지 모르겠지만, 프로이드의 실패와 오늘날 디지털 미디어가 인간의 행동에 영향을 미치는 하나의 도구, 즉 매개체라는 점에서 다르지 않다. 중요한 사실은 인간의 행동을 위한 매개체가 어떠한 영향력을 줄 수 있는지 명확하게 드러내는 작업이 우선이 아닐까 생각한다.

디지털 미디어와의 관계에서 e스포츠는 플레이어에게 색다른 경험을 가져다준다. e스포츠에서 이루어지는 디지털 미디어와 플레이어와의 경험 특징은 다음과 같은 특징을 보여준다. 첫째, 감각에 근거한다. e스포츠경기에서 가장 중요한 것은 즉각적인 판단이다. 이 판단은 감각에 근거하다. 이성적인 판단을 한 후 움직임은 경기에서 승리로 이어지기 힘들기 때문이다. 물론 e스포츠는 청각, 시각, 촉각, 미각, 체감후각이 포함된 오감을 자극시켜 플레이어로 하여금 e스포츠에 집중하도록 한다. e스포츠는 플레이어의 반응에 즉각적인 결과를 보여준다. 그 반응 과정에서 만들어지는 즐거움을 경험한다. 물론 성공의 기쁨은 기쁨대로 실패는 다음의 성공을 위한 발판으로 인식된다.

둘째, 가상공간이다. 가상공간은 무한히 열린 공간이

다. 비록 현실과 떨어진 영역이지만, 현재는 현실의 연장된 살아 있는 확장된 공간이다. 플레이어는 그 속에서 자신의 능력을 발휘해서 자신의 존재이유를 경험한다. 가상공간에서 자신을 대신하여 움직이는 아바타는 자신과 유사한 인격을 가진 것으로 우리의 움직임과 밀접한 관계를 맺고 있다.

셋째, 열린 결말이다. e스포츠는 승리와 실패가 있지만, 그것으로 끝나지 않는다. 실패를 한다고 끝나지 않고 다시금 도전할 수 있는 기회를 제공한다. e스포츠가 승패를 갈리는 긴장과 갈등이 내포되어 있지만, e스포츠 그 자체가 우리에게 실패의 경험을 완전하게 부여하지 않는다. 물로 우리가 다른 사람보다 우월하고 승리를 위해 부정적인 행위나 과몰입은 고려해야 하지만, 그것이 e스포츠의 모든 것은 아니기 때문이다.

넷째, 능동적 행위성의 개입이다. e스포츠는 플레이어의 자발적인 참여로 이루어진다. 그 목적이 경쟁에서 이겨 상금을 획득하는 프로 선수일수도 있고, 단지 즐거움을 위해 참여하는 경우도 존재한다. 어떤 경우라고 할지라도 자신의 주도적인 참여가 없으면, e스포츠는 성립하지 않는다. 그렇기 때문에 e스포츠에 참여하는 사람들 간에 신뢰와 소통이 가능하고, 그들 간의 정체성을 확립하게 된다.

결론을 대신하여

디지털 기술의 발전에 근거한 e스포츠는 모든 사람에게 관심을 받고 있다. 누군가는 모든 사람에게 환호를 받는 프로 e스포츠선수가 되기를 원하고, 이해관계자의 수익성을 보장하는 산업과 비즈니스로, 경기 관전자와 동시에 참여자의 특징으로 엔터테인먼트의 관심을 갖는다. 이러한 긍정적인 요소와는 별개로 e스포츠는 중독, 과몰입, 시간낭비, 폭력성 등 부정적인 시각도 존재한다. e스포츠의 긍정과 부정에 대한 명확한 인식과 미래의 e스포츠가 지향해야 할 전략까지도 제시해야 하는 e스포츠문화의 연구는 중요하다.

하지만 e스포츠문화 연구는 비즈니스나 경기력 연구와 비교한다면 상대적으로 부족하다. 그 이유는 여러 가지로 설명이 가능하다. 문화라는 광범위하고 모호한 개념에 디지털 기술 발전에 근거하여 등장한 e스포츠의 단어가 결합됨으로서 해서 e스포츠문화를 설명하기란 쉽지 않다. 여기에 현실적으로 e스포츠에 대한 부정적인 요소를 극복하기 위한 전략적인 측면까지도 제시해야 한다. 또한 디지털 문화의 광범위한 영역과 아직 e스포츠의 학문적 영역이 설정되지 않는 상황에서 e스포츠문화라는 것이 독자적인 영역으로 설명이 가능한지 근본적인 질문이 가능하다.

그럼에도 e스포츠문화에 대한 연구가 필요한 이유는 e스포츠가 가져다주는 문화적 현상은 전 지구적인 현상이기 때문이다. 넓은 의미로 e스포츠는 역사적으로 놀이문화와 연결된다. 호모루덴스의 저자인 호이징가는 그의 책에 "놀이는 문화적 현상"이라고 하였다. 이는 e스포츠에도 그대로 적용이 가능하다. e스포츠도 문화적 현상이다. 외형적으로 보면 다를 수 있지만, 저가가 생각하기에 전혀 다르지 않기 때문이다. 과거에는 놀이 영역이 현실이고 대상이 인형이라면, 현재는 현실과 연결되고 확장된 가상 영역에서 디지털 기기를 갖고 노는 차이밖에 없다. 물론 그것들이 가져다주는 문화적 현상의 내용은 다르겠지만, 놀이문화와 디지털 기기나 플랫폼을 통해 경쟁적인 요소가 개입된 e스포츠문화가 앞으로 어떻게 전개되는지 이해할 필요는 있다.

반면에 좁은 의미로 e스포츠화면과 플레이어와의 상호작용에서 나오는 e스포츠 경험은 플레이어의 일상적인 활동에 영향을 미친다. 현실에서의 긍정과 부정적인 행위로 연결하는 것도 가상세계의 경험이라는 것을 부인할 수 없다. 이러한 e스포츠 현상이 단지 즐기는 수준을 넘어 인류의 삶을 규정하는 중요한 도구라면 문화적 측면에서 논의는 당연하다.

컴퓨팅 기술로 대표되는 기술 문명의 발달을 고려한다면, e스포츠는 자연스러운 현상이다. 이러한 주어진 디지털 환경과 사회에 참여하는 사람들의 상호작용에서 새로운 문화를 만들어내는 것은 당연하다. 물론 그 속에는 경제적, 사회적인 관점이 암묵적으로 내재하고 있음을 외면할 수는 없다. 따라서 e스포츠문화는 인류가 살아가는 디지털 기술을 어떻게 향유하고, 즐길 것인가를 이해하는 데 중요하다.

e스포츠와 관련된 학자들은 그들의 관점에 따라 e스포츠문화의 개념을 다르게 설명한다. e스포츠문화에 부정적인 학자들은 다음과 같이 설명한다. 디지털 기기의 매개로 만들어진 사이버 속의 현실과 실제 현실을 혼동하거나, 현실에서 충족하지 못한 욕망과 욕구를 사이버 세계에서 분출한 행동이 현실세계에서도 그대로 적용되어 나타난 문화라고 한다. 즉 e스포츠가 문화가 될 수 없다고 주장한다.

하지만 e스포츠는 디지털 기술을 활용한 생존을 위한 인간 움직임의 결과로 탄생한 것이라면, e스포츠가 하나의 문화를 만들어 간다고 할 수 있다. 따라서 e스포츠문화는 정적이 아니라, 동적인 관점으로 접근해야 한다. 디지털 게임의 역사가 디지털을 읽는 능력

(reading) 과 그것을 하는(doing) 것이 상호작용해서 이루어지는 것이라면(Chapman, 2016), e스포츠는 디지털 기술을 다루고 경험하는 과정에서 만들어진다. 그 속에서 경제적 논리, 게임회사, 기술발달, 플레이어의 요구 등이 개입된다.

미래의 e스포츠문화는 디지털 기술을 어떻게 활용하고 그 속에서 어떠한 경험이 인류에 도움이 될지 확신은 없다. 아마도 AI가 e스포츠의 종목과 내용을 규정하고, 그리고 산업적 비즈니스의 방향성을 결정하는 날이 올지도 모르겠다. 또한 미래의 e스포츠 경기도 생성 AI와 e스포츠 플레이어가 경쟁할지도 모르겠다. e스포츠문화는 인간의 생물학적인 욕구에 따른 움직임의 결과이며, 디지털 활용이라는 인간의 주도적이고 능동적인 활동이 만든 결과물이다. 이렇게 형성되어 온 e스포츠문화 자체가 이제 스스로 영향력을 발휘하여 우리의 삶을 규정한다는 점에서 더 많은 연구가 진행되기를 기대한다.

참고문헌

강영안 역(1994) / von Peursen. **급변하는 흐름속의 문화**. 서울: 서광사.

강신규, 채희상(2011). 문화적 수행으로서의 e스포츠 팬덤에 관한 연구: 팬 심층인터뷰 분석을 중심으로. **미디어, 젠더 & 문화,** 18, 5-39.

강지문 역(2023) /Collis, W. **e스포츠 가이드북**. 서울: 박영사.

공성배, 이원희(2008). 청소년의 e-스포츠 참여정도와 몰입정도가 사회성에 미치는 영향. **한국여가레크리에이션학회지,** 32(3), 121-131.

김기환, 이승애, 이민호(2022). **이스포츠인사이드**. 파주시: 한울.

김성기, 이한우 역(2002). / McLuhan, C. **미디어의 이해: 인간의 확장**. 서울: 민음사.

김영선. (2023). e스포츠경험의 재구성과 스포츠교육의 가능성. **한국스포츠교육학회지,** 30(1), 49-75.

김윤성, 구형찬 역(2022) / Sperber, D. **문화 설명하기-자연주의적 접근**. 서울: 이학사.

김정효(2011). 스포츠문화의 사회철학적 기초에 대한 고찰. **한국체육철학회지,** 19(1), 77-94.

김태옥, 이승협 역(2011) / Bolz, N. **미디어란 무엇인가?** 파주: 한울아카데미.

김홍제(2023. 9. 4. 인벤). LCK, '클리드' 김태민에 1년 자격 정지... 선수생활 중단 https://www.inven.co.kr/webzine/news/?news=288316&iskin=sc2

박건하(2004). 게이머들의 PC 방 문화와 프로게임리그의 형성에 관한 연구. 일반대학원. 연세대학교 석사 논문.

박인철(2015). 현상학과 상호문화성. 서울: 아카넷.

박남환, 송형석 역(2004) / Grupe, O. 문화로서의 스포츠. 서울: 무지개사

박창환(2019). 포스트모더니즘을 통한 e-스포츠의 스포츠적 정당성 탐색. 전남: 전남대 교육대학원.

류제성, 역(2000) / Johnson, S. 무한상상, 인터페이스. 서울: 현실문화연구.

류종화(2019.11.18. 게임메카). [90년대 게임광고] 페이커급 인기였던 '쌈장' 이기석. https://www.gamemeca.com/view.php?gid=1602022

세계일보(2007.04.03.) 'Slayers_Boxer'가 임요한의 아이디가 된 사연. https://m.segye.com/view/20070403000330

송예슬 역(2023) / Katz, R., Ogilvie, S., Shaw, J. Woodhead, L. GEN Z: 디지털 네이티브의 등장. 서

울: 문예출판사.

윤선희(2001). PC 방과 네트워크 게임의 문화연구: 스타크래프트를 중심으로. **한국언론학보, 45**(2), 316-348.

윤태진(2015). **디지털 게임문화연구**. 서울: 커뮤니케이션북스.

이강선 역(2021) / Eagleton, T. **문화란 무엇인가**. 서울: (주)문예출판사.

이동연(2010). **게임의 문화 코드**. 서울: 이매진.

이무연 역(2002). Kent, S. L. **게임의 시대**. 서울: 파스칼북스.

이상호(2022. 01. 17, 게임와이). **e스포츠와 MZ세대의 이해: 롤(LOL)을 중심으로.** https://www.gamey.kr/news/articleView.html?idxno=3000781

이상호(2023. 10. 05, 게임와이). **항저우 아시안 게임에서 e스포츠의 성과와 과제** http://www.gamey.kr/news/articleView.html?idxno=3006655

이상호(2022). e스포츠 재미와 열광의 인지적 특성. **한국체육학회지, 61**(2), 25-38.

이상호(2023a). 태권도의 e스포츠화에 따른 전망과 과제. 한국체**육학회지, 63**(6), 1-13.

이상호(2023b). 스포츠의 관점에서 본 e스포츠와 e스포츠의 관점에서 본 스포츠. **e스포츠연구: 한국e스포츠학회지, 5**

(1), 20-34.

이상호(2024). **e스포츠의 이해(개정판).** 서울: 박영사.

이상호, 황옥철(2023). e스포츠의 학문적 연구 : 2004년 '광안리 대첩'을 중심으로. **e스포츠 연구: 한국e스포츠학회지, 5**(2), 15-26.

이상호, 황옥철(2020). e스포츠현상의 이해와 학제적 접근. **한국 체육학회지, 59**(2), 19-32.

이상호, 황옥철(2019). e스포츠의 학제적(學際的) 구성과 전망. **한 국체육학회지, 58**(3), 31-49.

이안재, 고정민(2005). e-스포츠산업의 현황과 발전 방향. SERY 연구보고서, 1-65.

이용범(2020). 동북아시아 e스포츠 현황에 대한 기초연구 1: 정 동 (affect)의 실각, 한국 e스포츠 10년사. **한국게임학 회 논문지, 20**(2), 61-73.

이은선 역(2006) / Beck, J., C. & Wade, M. **게임세대 회사를 점령하다.** 서울: 세종서적.

이은조(2022). **게임의 사회학: 리니지와 WoW의 로그 데이터에 서 찾은 현실세계.** 서울: 휴머니스트.

이재현(2013). **디지털 문화.** 서울: 커뮤니케이션북스.

이재현 역(2014) / Manovich, L. **소프트웨어가 명령한다.** 서울: 커뮤니케이션북스.

이종인 역(2010). Huizinga, J. **호모루덴스.** 고양시: 연암서가.

이학준, 김영선 (2019). 하이데거의 초연함과 e스포츠의 즐거움. **움직임의 철학: 한국체육철학회지, 27**(4), 95-106.

이학준, 황옥철, 김영선(2020). 코로나 19 이후 e스포츠 교육의 방향. **e스포츠연구: 한국e스포츠학회지, 2**(1), 28-37.

인터비즈(2018.09.25.) **투니버스에서 시작된 40만 원짜리 tv쇼, 전 세계를 사로잡다.** https://v.daum.net/v/5ba1a54ced94d2000193b6 d0.

전경란(2024). **디지털 게임이란 무엇인가.** 서울: 커뮤니케이션.

정헌목(2009). '스타'게이머 팬클럽을 통해 본 e-스포츠 팬덤의 형성과정과 특성. **비교문화연구, 15**(1), 51-95.

조애리, 강문순, 김진옥, 박종성, 유정화, 윤교찬, 이혜원, 최인환, 한애경(2023) / Longhurst, B., Smith, G., Bagnall, G., Crawford, G., & O. **문화코드: 어떻게 읽을 것인가?** 파주: 한울아카데미.

한국민족문화대백과사전 (https://encykorea.aks.ac.kr/Article/E0019771).

한국문화사회학회 역(2008). **문화이론: 사회학적 접근.** 서울: 이학사.

한용환, 변지연 역(2001) / Murray, J. **사이버 서사의 미래: 인터랙티브 스토리텔링.** 서울:(주)안그라픽스.

Browning, Kellen (May 20, 2023). The E-Sports World Is Starting to Teeter. https://www.nytimes.com/2023/05/20/technolog y/e-sports-revenue-video-gaming.html

Castronova, Edward(2001). Virtual Worlds: A First-Hand Account of Market and Society on the Cyberian Frontier. *Available at SSRN.* http://dx.doi.org/10.2139/ssrn.294828

Chapman, A. (2016). *Digital Games as History: How Videogames Represent the Past and Offer Access to Historical Practice.* New York: Routledge.

Espen J. J. Aarseth(1997). *Cybertext: Perspectives on Ergodic Literature.* Baltimore: Johns Hopkins University Press.

Goebeler, L., Standaert, W., & Xiao, X. (2021). *Hybrid sport configurations: The intertwining of the physical and the digital.* Proceedings of the 54th Hawaii International Conference on System Sciences, pp. 5844-5850.

Https://ko.wikipedia.org/wiki/99_%ED%94%84%EB%A1%9 C%EA%B2%8C%EC%9D%B4%EB%A8%B8_%EC%BD

%94%EB%A6%AC%EC%95%84_%EC%98%A4%ED%
94%88#%EC%B6%9C%EC%A0%84_%EC%84%A0%E
C%88%98

Https://olympics.com/ioc/news/ioc-announces-olympi
c-esports-games-to-be-hosted-in-the-kingdom-of-s
audi-arabia

Https://towardsdatascience.com/the-data-science-boom-i
n-esports-8cf9a59fd573.

Https://www.etymonline.com/search?q=virtual.

Lee, Sangho. (2023). eSports is eSports. *International
Journal of eSports Studies, 1*, 36-54.

Stephen Johnson(1997)   Interface Culture: How the
Digital   Medium--from   Windows   to   the
Web--Changes the way We Write, Speak.

Tewes, C., Durt, C., & Fuchs, T. (2017). *Embodiment,
Enaction, and Culture: Investigating the
Constitution of the Shared World.* Cambridge,
MA: MIT Press.

Williams, R. (1976), Keywords. New York: Oxford
University Press.